D0416630

Les réseaux locaux

Lexique
Anglais-français
Français-anglais

Lillian Arsenault

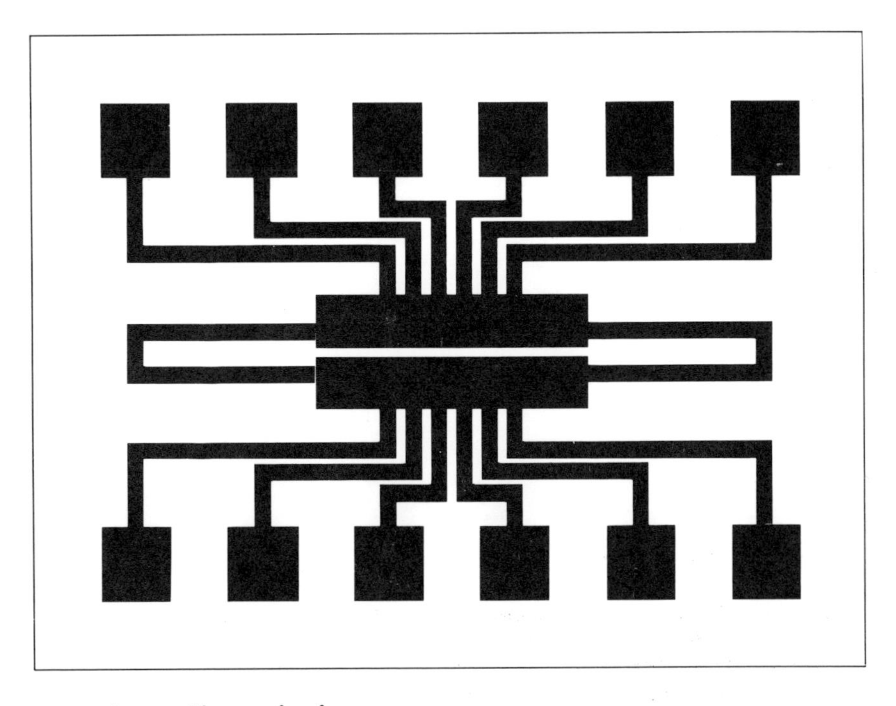

Services linguistiques

Couverture : Imprimerie Trandek Limitée
Mise en pages : Imprimerie Trandek Limitée
Composition : Imprimerie Trandek Limitée

© Copyright IBM Canada Ltée, 1987

Tous droits de traduction et d'adaptation, en totalité ou en partie, réservés pour tous les pays. Toute reproduction à des fins commerciales, par procédé mécanique ou électronique, y compris la microreproduction, est interdite sans l'autorisation écrite d'IBM Canada Ltée.

Dépôt légal - 3e trimestre 1987
Bibliothèque nationale du Québec
Bibliothèque nationale du Canada
ISBN 2-920243-03-9

Avant-propos

Évolution de l'informatique

De l'informatique centralisée, organisée autour de machines lourdes que contrôlaient des experts informatiques, l'évolution technologique nous a menés en moins de trois décennies à l'informatique répartie. Cette dernière est en réalité beaucoup plus proche de l'utilisateur et infiniment plus souple. Nous avons par la suite assisté à l'apparition des ordinateurs à intelligence locale situés à des endroits stratégiques et qui fonctionnent en mode autonome.

Automatisation du travail de bureau

Se greffant à l'évolution de l'informatique, un nouveau concept vient bouleverser les façons de travailler. Il s'agit de l'automatisation du travail de bureau. Une nouvelle génération d'utilisateurs fait son apparition : les non-informaticiens, qui se servent de machines autonomes pour effectuer des tâches de gestion très spécialisées.

Les systèmes bureautiques permettent dorénavant aux utilisateurs de résoudre des problèmes de gestion quotidiens. On introduit, à un rythme de plus en plus accéléré dans les bureaux, des machines de traitement de textes, des micro-ordinateurs, des télécopieurs, par exemple. Ces machines assurent au départ un traitement efficace, mais ne peuvent malheureusement pas régler le problème le plus important dans l'organisation d'une entreprise : celui de la communication!

Communications intra-entreprise et inter-entreprises

D'après certains auteurs, environ 60 pour 100 du temps de travail dans une entreprise est consacré à la communication directe ou indirecte entre les personnes. La circulation de l'information étant un besoin primordial du monde de la gestion, la communication entre les stations de travail devient une priorité. La communication inter-entreprises vient également s'ajouter au problème de la communication intra-entreprise.

Pour permettre l'échange d'informations entre les différentes stations de travail qui sont souvent de technologies, de marques, de vocations et de conceptions différentes, une solution finit par voir le jour : le RÉSEAU LOCAL!

Introduction

1. Réseau local

Il est difficile de donner la définition précise d'un réseau local. On l'oppose en général au réseau longue distance d'une part et au bus d'ordinateur d'autre part.

Le réseau local est un réseau de communication destiné à relier les équipements informatiques — ordinateurs, terminaux, périphériques, modems, émetteurs, récepteurs — d'une entreprise ou de tout autre établissement tel qu'un hôpital ou une université. Le réseau local n'a pas recours aux lignes téléphoniques des entreprises de télécommunications pour effectuer des connexions entre les stations du réseau. Les lignes téléphoniques ne servent qu'à établir des liaisons avec les services extérieurs au réseau local. Un réseau local doit demeurer sur le territoire privé d'une entreprise et ne peut traverser les zones ou les voies du réseau de télécommunication public.

2. Caractéristiques d'un réseau local

Le réseau local doit pouvoir :

- assurer la liaison entre des équipements hétérogènes;
- se limiter à une zone géographique restreinte à caractère privé;
- acheminer des données à une vitesse de transmission assez élevée.

L'autocommutateur privé informatisé, ou CBX (computerized branch exchange), est une autre solution envisagée au problème de l'organisation bureautique de l'entreprise. Cet autocommutateur s'organise autour d'un ordinateur programmable et permet, entre autres, de mettre en communication des équipements hétérogènes.

Nous avons consacré la plus grande partie de notre recherche terminologique aux termes relatifs aux réseaux locaux, mais avons intégré au lexique des termes se rapportant aux autocommutateurs privés.

L'intercommunication des équipements, le partage des ressources, l'indépendance par rapport au réseau téléphonique privé constituent les trois objectifs principaux de l'utilisation d'un réseau local.

3. Sous-domaines

Ce qui retient encore l'attention des spécialistes, c'est naturellement l'aspect technique. Les termes relevés dans les ouvrages consultés appartiennent aux sous-domaines suivants : topologies des réseaux locaux, méthodes d'accès, supports de transmission et techniques de transmission. Nous avons également inclus les termes qui se rapportent aux travaux de normalisation des réseaux locaux et de l'interconnexion des systèmes ouverts, c'est-à-dire la norme OSI (Open Systems Interconnection).

3.1. Topologie des réseaux locaux

La topologie, c'est l'organisation générale des liaisons de données et des équipements de commutation, structure qui détermine les voies à emprunter par deux stations communicantes. On distingue trois principales topologies : le bus, l'anneau et l'étoile.

3.1.1. Bus

Dans l'architecture en bus, les stations sont branchées en dérivation sur le support de transmission qui sert alors de réseau de communication. La topologie en arbre en est une variante.

3.1.2. Anneau

Dans l'architecture en anneau, chaque station est connectée à deux autres stations de façon à former une boucle. On trouvera beaucoup de termes, dans ce lexique, relatifs à l'anneau et plus spécifiquement à l'anneau à jeton, modèle de réseau proposé par IBM.

3.1.2.1. Réseau en anneau à jeton IBM

Le réseau en anneau à jeton IBM est un réseau local de communication de données qui fonctionne à une vitesse élevée. Il utilise comme support de transmission le système de câblage IBM ou les paires téléphoniques torsadées. En outre, il peut être relié à plusieurs équipements de communication de données, à des grands réseaux informatiques et au réseau local d'ordinateurs personnels IBM.

3.1.3. Étoile

La topologie en étoile est constituée de plusieurs stations reliées à un point central.

3.2. Méthode d'accès

Les différentes méthodes d'accès ont pour but de permettre à une station qui veut émettre de le faire le plus rapidement possible; on parle alors d'une bonne utilisation du réseau local. En effet, toutes les architectures exposées précédemment doivent avoir une méthode de gestion de la voie de communication entre les différents utilisateurs du réseau. D'où l'importance de déterminer une réglementation de l'accès des équipements à la voie de communication.

Cette réglementation se concrétise par l'emploi de méthodes d'accès. Elles permettent de contrôler l'accès des équipements au support de transmission dans le but d'échanger des informations. Les méthodes d'accès au réseau sont généralement basées sur le multiplexage temporel synchrone (MTS) dans le cas du CBX et sur le multiplexage temporel asynchrone (MTA) dans les autres cas.

3.4. Transmission

Il existe à l'heure actuelle deux techniques de transmission : la transmission en bande de base et la transmission à large bande. Le support de transmission est le chemin physique entre l'émetteur et le récepteur dans un réseau de communication. Les supports utilisés sont la paire torsadée, le câble coaxial à bande de base, le câble coaxial à large bande et la fibre optique.

3.5. Norme OSI

L'acronyme formé à partir de l'expression anglaise « Open Systems Interconnection » a été préféré aux initiales de l'expression française par l'Organisation internationale de normalisation (ISO) afin d'éviter toute confusion avec les sigles de cet organisme. Il est à noter que l'acronyme OSI est utilisé à la fois comme nom et comme adjectif.

L'objectif de cette norme est de définir le modèle de référence pour l'interconnexion des systèmes ouverts. Ce faisant, l'ISO a passé en revue les tâches exécutées par les divers niveaux d'architecture et les relations entre chaque utilisateur et le système.

La norme comprend les concepts fondamentaux d'une architecture composée de sept couches : la couche application (couche 7), la couche présentation (couche 6), la couche session (couche 5), la couche transport (couche 4), la couche réseau (couche 3), la couche liaison de données (couche 2) et la couche physique (couche 1). Les couches OSI se subdivisent en couches inférieures (1, 2, 3, 4) et supérieures (5, 6, 7). Les couches inférieures sont responsables du transport des informations tandis que les couches supérieures assurent la gestion des informations entre les systèmes. Les termes de ce lexique se rapportent en général aux couches inférieures.

Remerciements

Nous aimerions remercier toutes les personnes qui ont participé de près ou de loin à la réalisation de ce travail.

Ainsi, nous tenons tout d'abord à remercier M. André Michaud, informaticien principal chez IBM, pour sa vérification minutieuse des termes de ce lexique et ses conseils techniques sur les réseaux locaux.

Nous tenons aussi à remercier tous les membres de la direction des Communications et services linguistiques qui ont rendu possible l'élaboration du lexique, et plus particulièrement M. Richard Kromp, directeur de la terminologie et des programmes linguistiques, pour sa vérification des termes de ce travail et pour ses excellentes suggestions.

Enfin, nous remercions M. Bao Pham, terminologue aux services linguistiques, dont les judicieux conseils nous ont été utiles, Mme Stella Abensur et M. John Murphy, terminologues aux services linguistiques, pour leur relecture, Mme Marylène Le Deuff, documentaliste, pour sa précieuse collaboration à la constitution de la bibliographie des réseaux locaux, et Mme Marie-France Parizeau, spécialiste des publications, pour sa collaboration à la première ébauche du travail et pour son travail de correction.

Lillian Arsenault

Notes liminaires

1. Présentation des entrées

Pour faciliter la consultation de ce lexique, nous avons établi une liste lexicale anglaise-française qui comprend plus de 1 000 entrées anglaises ainsi qu'une liste lexicale française-anglaise qui a plus de 1 200 entrées françaises. Tous les termes sont classés par ordre alphabétique continu. En plus des listes lexicales, vous trouverez des illustrations au centre du lexique ainsi qu'une bibliographie et une table des matières à la fin.

Dans chaque liste, la vedette est accompagnée de son équivalent respectif et suivie, selon le cas, de synonymes placés en ordre de préférence et d'abréviations. Lorsqu'un terme comporte plus d'une acception, nous les avons numérotées. Nous avons aussi éliminé les variantes orthographiques pour ne retenir que la graphie anglaise la plus courante chez IBM, ce qui a permis d'alléger la consultation du lexique. Par exemple, le lecteur pourra constater que le terme « communication » a été préféré à « communications », ce dernier ayant été relevé moins souvent dans la documentation anglaise consultée.

En français, nous avons également uniformisé une seule graphie pour la même raison. En effet, il a fallu trancher dans certains cas entre le pluriel et le singulier de termes comme « gestion de fichiers » et « gestion de fichier ». Nous avons alors opté pour la première solution parce que nous voulions désigner la fonction générique plutôt que la fonction spécifique dans un cas isolé. Lorsqu'il semble y avoir ambiguïté, nous avons inscrit des remarques d'ordre relationnel (générique, spécifique), grammatical (genre, nombre), etc. Par exemple, on peut lire après le terme « coaxial » : (n. m.).

2. Établissement de la nomenclature

Nous avons établi la nomenclature à partir de l'arbre de domaines des réseaux locaux, puis dépouillé un bon nombre de documents anglais, de l'article scientifique à l'annonce de produits. Par la suite, nous avons complété le corpus en consultant des revues techniques et des ouvrages spécialisés en anglais et en français.

3. Arbre de domaines

L'arbre de domaines des réseaux locaux, que nous vous présentons plus loin dans cet ouvrage, permet au lecteur de prendre connaissance des sous-domaines couverts par ce lexique.

De nombreux ouvrages et articles français traitent des réseaux locaux, mais très peu d'entre eux s'avèrent aussi spécialisés ou détaillés que les sources anglaises. Les projets de normes ISO sur l'interconnexion des systèmes ouverts ainsi que les *Recommandations du Livre rouge* du CCITT ont été consultés à titre de référence.

4. Critères de sélection

Il existe une terminologie française très riche, mais malheureusement pas toujours cohérente. Les termes utilisés varient souvent d'un auteur à l'autre, lacune qui s'explique par la nouveauté du domaine et l'imagination effervescente des auteurs.

Nous avons commencé par consigner tous les termes relevés au cours des lectures et avons procédé par la suite à leur triage en utilisant des critères de sélection telles la fréquence d'utilisation et l'évolution de l'usage au cours des deux dernières années. Les revues spécialisées nous ont beaucoup aidés sur ce plan, car bien qu'un ouvrage soit plus complet qu'un article, c'est dans ce dernier que l'on retrouve les termes les plus actuels. À l'occasion, nous avons eu recours à la néologie pour compléter plutôt qu'inventer une solution. Par ailleurs, il nous a semblé pertinent d'illustrer les concepts, fonctions et réseaux, car une image...

Abréviations

abrév.	abréviation
gén.	terme générique
n.	nom
n. m.	nom masculin
p. ex.	par exemple
spéc.	terme spécifique
syn.	synonyme
v.	verbe

Arbre de domaines

1. Réseau de communication

   I. réseau local

   II. réseau longue distance

   III. bus d'ordinateur

2. Réseau local

2.1. Topologies

   I. bus
      a) arbre

   II. anneau

   III. étoile

2.2. Méthodes d'accès au réseau

   I. multiplexage temporel synchrone (MTS)
      a) CBX

   II. multiplexage temporel asynchrone (MTA)
      a) accès aléatoire
         I) CSMA
         II) CSMA/CA
         III) CSMA/CD
         IV) insertion de registre
         V) segmentation temporelle

      b) accès contrôlé
         I) contrôle réparti
            jeton
            réservation répartie
            évitement de collisions
         II) contrôle centralisé
            appel
            réservation centralisée

Lexique anglais-français

a

ABM	Voir *asynchronous balanced mode*
AC	Voir *access control*
access contention	Voir *contention*
access contention resolution	Voir *contention resolution*
access control Abrév. : *AC*	contrôle d'accès Abrév. : *CA*
access control mechanism	Voir *access control method*
access control method Syn. : *access control technique* *access control mechanism*	méthode de contrôle d'accès Syn. : *technique de contrôle d'accès*
access control protocol	protocole de contrôle d'accès
access control technique	Voir *access control method*
access link	liaison d'accès
access mechanism	Voir *access method*
access method Abrév. : *AM* Syn. : *access technique* *access mechanism* **Voir figures 15, 16 et 17**	méthode d'accès Syn. : *technique d'accès*
access path	chemin d'accès
access procedure	Voir *access protocol*
access protocol Syn. : *access procedure*	protocole d'accès Syn. : *procédure d'accès*

access technique	Voir *access method*
ACK	Voir *acknowledgment*
acknowledgment Abrév. : *ACK* Syn. : *confirmation of receipt*	accusé de réception positif Syn. : *accusé de réception*
acknowledgment bit	bit d'accusé de réception positif Syn. : *bit d'accusé de réception*
active element	élément actif
active medium	support actif
active monitor Syn. : *active token monitor*	moniteur actif Syn. : *moniteur de service*
active node	noeud actif
active repeater	répéteur actif
active station	station active
active token monitor	Voir *active monitor*
adapter card	carte adaptateur Syn. : *carte d'adaptation*
addressee	Voir *receiver*
address field Syn. : *addressing field*	zone d'adresse Syn. : *champ d'adresse* *zone adresse* *champ adresse*
address field recognition	Voir *address recognition*
address filtering Syn. : *filter function*	filtrage d'adresse Syn. : *filtrage d'adresse de destination*
addressing field	Voir *address field*
address recognition Syn. : *address field recognition*	reconnaissance d'adresse

address recognized bit	Voir *address recognized indicator bit*
address recognized flag	Voir *address recognized indicator bit*
address recognized indicator	Voir *address recognized indicator bit*
address recognized indicator bit Syn. : *address recognized indicator* *address recognized bit* *address recognized flag* **Voir figure 14**	bit indicateur de reconnaissance d'adresse Syn. : *indicateur de reconnaissance d'adresse* *bit de reconnaissance d'adresse*
address translation	traduction d'adresse
adjacent node	noeud adjacent
Aloha	Voir *pure Aloha*
Aloha protocol	Voir *pure Aloha*
alternate ring	Voir *secondary ring*
AM	Voir *access method*
AM	Voir *amplitude modulation*
amplitude modulation Abrév. : *AM*	modulation d'amplitude Abrév. : *MA; AM*
amplitude shift keying Abrév. : *ASK*	modulation par déplacement d'amplitude Abrév. : *MDA* Syn. : *modulation à saut d'amplitude*
analog PBX	PBX analogique
analog signal	signal analogique
analog transmission	transmission analogique

analog transmission system	système de transmission analogique
answering node	Voir *called node*
application layer	couche application
architecture model Syn. : *architecture reference model*	modèle d'architecture
architecture reference model	Voir *architecture model*
ARM	Voir *asynchronous response mode*
ASK	Voir *amplitude shift keying*
asynchronous balanced mode Abrév. : *ABM* Syn. : *set asynchronous balanced mode* Abrév. : *SABM*	mode asynchrone équilibré Syn. : *mode asynchrone symétrique*
asynchronous communication Syn. : *asynchronous transmission*	communication asynchrone Syn. : *transmission asynchrone*
asynchronous communication server	serveur de communication asynchrone
asynchronous data traffic	Voir *asynchronous traffic*
asynchronous gateway	passerelle asynchrone
asynchronous protocol	protocole d'accès asynchrone Syn. : *protocole asynchrone* *procédure asynchrone*
asynchronous response mode Abrév. : *ARM* Syn. : *set asynchronous response mode* Abrév. : *SARM*	mode de réponse asynchrone Abrév. : *ARM* Syn. : *mode de réponse autonome* *mode ARM*

asynchronous TDM Abrév. : *ATDM*	multiplexage temporel asynchrone Abrév. : *MTA*
asynchronous terminal	terminal asynchrone
asynchronous traffic Syn. : *asynchronous data traffic*	trafic asynchrone
asynchronous transmission	Voir *asynchronous communication*
ATDM	Voir *asynchronous TDM*
attachment unit interface Abrév. : *AUI*	interface de connexion de station Syn. : *interface de raccordement de station*
AUI	Voir *attachment unit interface*
automated office system	Voir *office automation system*
availability	disponibilité

b

backbone bus	bus central
backbone ring Syn. : *central ring*	anneau central Syn. : *anneau d'interconnexion*
backup ring	anneau de secours
balanced/unbalanced	Voir *balun*
balun Syn. : *balun assembly* *balanced/unbalanced*	adaptateur d'impédance

balun assembly	Voir *balun*
bandwidth	largeur de bande
baseband	bande de base
baseband bus	bus en bande de base Syn. : *bus bande de base*
baseband channel	voie en bande de base Syn. : *voie bande de base*
baseband coax cable	Voir *baseband coaxial cable*
baseband coaxial cable Syn. : *baseband coax cable*	câble coaxial en bande de base Syn. : *câble coaxial bande de base* *coaxial en bande de base* *coaxial bande de base*
baseband digital transmission Syn. : *digital baseband transmission*	transmission numérique en bande de base Syn. : *transmission numérique bande de base*
baseband LAN	réseau local en bande de base Syn. : *réseau local bande de base*
baseband network	réseau en bande de base Syn. : *réseau bande de base*
baseband phase modulation	modulation de phase en bande de base Syn. : *modulation de phase bande de base*
baseband signalling	signalisation en bande de base Syn. : *signalisation bande de base*
baseband system	système en bande de base Syn. : *système bande de base*
baseband transmission	transmission en bande de base Syn. : *transmission bande de base*

basic access method — méthode d'accès de base

beacon — 1. signal d'erreur (transmission)
2. signal d'incident (matériel)

beacon frame
Syn. : *beacon type frame*
— 1. trame de signalisation d'erreurs (transmission)
Syn. : *trame de notification d'erreurs*
2. trame de signalisation d'incidents (matériel)
Syn. : *trame de notification de dérangements*

beaconing
Syn. : *beacon state*
— 1. signalisation d'erreurs (transmission)
Syn. : *notification d'erreurs*
2. signalisation d'incidents (matériel)
Syn. : *notification de dérangements*

beacon state — Voir *beaconing*

beacon type frame — Voir *beacon frame*

bidirectional communication
Syn. : *bidirectional transmission*
— communication bidirectionnelle
Syn. : *transmission bidirectionnelle*

bidirectional communication channel
Syn. : *bidirectional communication path*
— voie de communication bidirectionnelle
Syn. : *voie bidirectionnelle*

bidirectional communication link
Syn. : *bidirectional transmission link*
— liaison bidirectionnelle
Syn. : *liaison bilatérale*

bidirectional communication path — Voir *bidirectional communication channel*

bidirectional transmission — Voir *bidirectional communication*

bidirectional transmission link — Voir *bidirectional communication link*

bit stuffing	bourrage de bits
blocking network	réseau à accès bloquant
boundary function	fonction frontière
branching tree topology	Voir *tree topology*
bridge Syn. : *communication bridge* **Voir figure 12**	pont
broadband analog transmission	transmission analogique à large bande Syn. : *transmission analogique large bande*
broadband bus	bus à large bande Syn. : *bus large bande*
broadband bus backbone	point central de bus à large bande Syn. : *point central de bus large bande*
broadband channel	voie à large bande Syn. : *voie large bande*
broadband coax cable	Voir *broadband coaxial cable*
broadband coaxial cable Syn. : *broadband coax cable* **Voir figure 4d**	câble coaxial à large bande Syn. : *câble coaxial large bande* *coaxial à large bande* *coaxial large bande*
broadband LAN	réseau local à large bande Syn. : *réseau local large bande*
broadband network	réseau à large bande Syn. : *réseau large bande*
broadband signalling	signalisation à large bande Syn. : *signalisation large bande*
broadband system	système à large bande Syn. : *système large bande*

broadband transmission	transmission à large bande Syn. : *transmission large bande*
broadcast	diffusion
broadcast communication	communication de diffusion
broadcast network	réseau de diffusion Syn. : *réseau à diffusion*
broadcast topology	topologie de diffusion
buffer insertion	Voir *register insertion*
bus	bus
bus architecture	Voir *bus topology*
bus configuration	Voir *bus network configuration*
bus LAN	réseau local en bus
bus network	réseau en bus
bus network configuration Syn. : *bus configuration*	configuration de réseau en bus Syn. : *configuration en bus*
bus topology Syn. : *bus architecture* **Voir figure 6**	topologie en bus Syn. : *architecture en bus* *structure en bus*
bus wiring	câblage en bus
busy state	état occupé
busy token **Voir figure 21**	jeton occupé
bypass	contournement (de point de panne, p. ex.) Syn. : *court-circuit*
bypass relay	relais de contournement

C

cable television Syn. : *community antenna television* Abrév. : *CATV*	câblodistribution Syn. : *télédistribution (français universel)*
cabling system	Voir *wiring system*
cache Syn. : *cache storage* *cache memory* *cache buffer*	antémémoire Syn. : *cache* *mémoire cache*
cache buffer	Voir *cache*
cache memory	Voir *cache*
cache storage	Voir *cache*
called node Syn. : *answering node*	noeud appelé
calling node	noeud appelant
Cambridge ring	anneau de Cambridge
carrier	Voir *carrier wave*
carrier sense	Voir *carrier sensing*
carrier sense multiple access Abrév. : *CSMA* **Voir figure 15**	accès multiple avec écoute de porteuse Abrév. : *CSMA* Syn. : *accès CSMA*
carrier sense multiple access with collision avoidance Abrév. : *CSMA/CA* Syn. : *prioritized CSMA*	accès multiple avec écoute de porteuse et évitement de collisions Abrév. : *CSMA/CA* Syn. : *accès CSMA/CA*

carrier sense multiple access with collision detection Abrév. : *CSMA/CD* **Voir figure 16**	accès multiple avec écoute de porteuse et détection de collisions Abrév. : *CSMA/CD* Syn. : *accès CSMA/CD*
carrier sensing Syn. : *carrier sense*	écoute de porteuse Syn. : *détection de porteuse*
carrier wave Syn. : *carrier*	onde porteuse Syn. : *porteuse*
cascade	cascade
catenet	super-réseau Syn. : *réseau d'interconnexion*
CATV	Voir *cable television*
CATV cable	câble de télévision Syn. : *câble CATV*
CBX	Voir *computerized branch exchange*
CCITT	Voir *International Telegraph and Telephone Consultative Committee*
CDB	Voir *common data base*
central control	contrôle central
central controller	contrôleur central
centralized access method	Voir *centralized control access method*
centralized architecture	architecture centralisée Syn. : *structure centralisée*
centralized control	contrôle centralisé
centralized control access mechanism	Voir *centralized control access method*

centralized control access method Syn. : *centralized access method* *centralized control access mechanism*	méthode d'accès à contrôle centralisé Syn. : *méthode d'accès centralisé*
centralized reservation method	méthode de réservation centralisée
central node	noeud central
central ring	Voir *backbone ring*
CEP	Voir *connection endpoint*
check bit	bit de contrôle
CICS	Voir *Customer Information Control System*
circuit switching	commutation de circuits
circuit switching protocol	protocole de commutation de circuits
circulating busy token	jeton occupé en circulation Syn. : *jeton fou*
circulating frame	trame en circulation Syn. : *trame circulante*
circulating free token	jeton libre en circulation
circulating slot	tranche en circulation Syn. : *tranche circulante*
circulating token	jeton en circulation Syn. : *jeton circulant*
closed LAN	réseau local fermé
closed loop Syn. : *closed path*	boucle fermée
closed network	réseau fermé

closed path	Voir *closed loop*
cluster controller Syn. : *clustered controller*	contrôleur de grappes Syn. : *unité de contrôle de grappes* Abrév. : *UCG*
clustered controller	Voir *cluster controller*
coax cable	Voir *coaxial cable*
coaxial cable Syn. : *coax cable* **Voir figure 4c**	câble coaxial Syn. : *coaxial* (n. m.)
codec	Voir *coder-decoder*
coder-decoder Syn. : *codec*	codeur-décodeur Syn. : *codec*
collision **Voir figure 16**	collision (de jetons, de trames, de messages, p. ex.)
collision avoidance	évitement de collisions Syn. : *résolution de collisions*
collision detect	Voir *collision detection*
collision detection Syn. : *collision detect*	détection de collisions
collision enforcement	renforcement de collisions
common carrier	Voir *communication common carrier*
common data base Abrév. : *CDB* Syn. : *shared data base*	base commune de données
communication adapter	adaptateur de communication Syn. : *adaptateur de transmission*

communication architecture Syn. : *transmission architecture*	architecture de communication Syn. : *architecture de transmission*
communication bridge	Voir *bridge*
communication channel Syn. : *communication path* *transmission channel* *transmission path*	voie de communication Syn. : *voie de transmission*
communication common carrier Syn. : *common carrier*	entreprise de télécommunications Syn. : *transporteur*
communication configuration	configuration de communication
communication controller	Voir *communication control unit*
communication control unit Syn. : *transmission control unit* *communication controller*	contrôleur de communication Syn. : *communicateur* *contrôleur de transmission*
communication link	Voir *data link*
communication network Syn. : *transmission network*	réseau de communication Syn. : *réseau de transmission*
communication path	Voir *communication channel*
communication processor	processeur de communication Syn. : *processeur de transmission*
communication protocol Syn. : *transmission protocol*	protocole de communication Syn. : *protocole de transmission*
communication system Syn. : *transmission system*	système de communication Syn. : *système de transmission*
community antenna television	Voir *cable television*
composite local network	Voir *hybrid LAN*
composite network	Voir *hybrid network*

computerized branch exchange Abrév. : *CBX*	autocommutateur privé informatisé Abrév. : *CBX*
computer LAN	réseau local informatique Syn. : *réseau local d'ordinateurs*
computer network	réseau informatique Syn. : *réseau d'ordinateurs*
computer networking	connexion de réseaux informatiques Syn. : *connexion de réseaux d'ordinateurs*
concentration point Abrév. : *CP*	point de concentration Abrév. : *PC*
confirmation of receipt	Voir *acknowledgment*
connection configuration	configuration de connexion
connection endpoint Abrév. : *CEP* Syn. : *endpoint*	point d'extrémité de connexion Syn. : *extrémité de connexion*
connection establishment	établissement de connexion
connectionless service	Voir *connectionless transmission*
connectionless transmission Syn. : *connectionless service*	transmission sans connexion Syn. : *service sans connexion*
connection oriented service	Voir *connection oriented transmission*
connection oriented transmission Syn. : *connection oriented service*	transmission avec connexion Syn. : *service avec connexion*
connectivity	1. connectivité (réseau) 2. connectabilité (matériel)
contention Syn. : *access contention*	conflit (situation) Syn. : *conflit d'accès* *conflit d'utilisation*

contention method Syn. : *contention technique*	méthode par contention Syn. : *contention*
contention resolution Syn. : *access contention resolution*	résolution de conflits Syn. : *résolution de conflits d'accès*
contention technique	Voir *contention method*
control data Syn. : *service data*	données de service Syn. : *informations de service*
control field	zone de contrôle Syn. : *champ de commande*
control frame	trame de contrôle Syn. : *trame de commande*
controlled access	accès contrôlé Syn. : *accès déterministe*
controlled access asynchronous TDM	MTA à accès contrôlé
controlled access method	méthode d'accès contrôlé
controlled access network	réseau à accès contrôlé
controlling station Syn. : *control station*	station de contrôle Syn. : *station pilote* *station de commande* *station de supervision*
control station	Voir *controlling station*
control token	jeton de contrôle
CP	Voir *concentration point*
CRC	Voir *cyclic redundancy check*
CRC field	zone CRC Syn. : *champ CRC*
CSMA	Voir *carrier sense multiple access*

CSMA access protocol	Voir *CSMA protocol*
CSMA/CA	Voir *carrier sense multiple access with collision avoidance*
CSMA/CA access protocol	Voir *CSMA/CA protocol*
CSMA/CA network	réseau à CSMA/CA
CSMA/CA protocol Syn. : *CSMA/CA access protocol*	protocole CSMA/CA Syn. : *procédure CSMA/CA*
CSMA/CD	Voir *carrier sense multiple access with collision detection*
CSMA/CD access protocol	Voir *CSMA/CD protocol*
CSMA/CD network	réseau à CSMA/CD
CSMA/CD protocol Syn. : *CSMA/CD access protocol*	protocole CSMA/CD Syn. : *procédure CSMA/CD*
CSMA protocol Syn. : *CSMA access protocol*	protocole CSMA Syn. : *procédure CSMA*
Customer Information Control System Abrév. : *CICS*	système de contrôle de l'information Abrév. : *CICS*
cyclic redundancy check Abrév. : *CRC* Syn. : *cyclic redundancy checksum*	contrôle de redondance cyclique Abrév. : *CRC*
cyclic redundancy checksum	Voir *cyclic redundancy check*

d

DA	Voir *destination address*
DAF	Voir *destination address field*
daisy chaining	chaînage d'unités en marguerite Syn. : *câblage en marguerite*
daisy chain loop network	Voir *daisy chain network*
daisy chain network Syn. : *daisy chain loop network*	réseau en marguerite
data base sharing	partage de base de données
data bus	bus de données
data circuit	circuit de données
data circuit terminating equipment Abrév. : *DCE*	terminaison de circuit de données Abrév. : *TCD* Syn. : *équipement de terminaison de circuit de données* Abrév. : *ETCD*
data communication Syn. : *data transmission*	communication de données Syn. : *transmission de données*
data encapsulation	encapsulation de données Syn. : *encapsulage de données* *emballage de données*
data encryption Syn. : *encryption*	chiffrement de données Syn. : *chiffrement* *cryptage*
data encryption standard Abrév. : *DES*	norme de chiffrement de données

data field Syn. : *information field*	zone de données Syn. : *champ de données* *zone d'informations* *champ d'informations*
data flow	flux de données Syn. : *flux d'informations* *flux informationnel*
data flow control Abrév. : *DFC*	contrôle de flux de données Syn. : *contrôle de flux d'informations*
data frame Syn. : *information frame*	trame d'information
data frame format Syn. : *information frame structure*	structure de trame d'information Syn. : *format de trame d'information*
data grade cable	câble de qualité données
1. datagram Syn. : *datagram service*	1. datagramme (service) Abrév. : *DG* Syn. : *service datagramme*
2. datagram	2. datagramme (paquet)
datagram service	Voir *datagram*
data integrity	intégrité de données
data link Syn. : *communication link*	liaison de données
data link control Abrév. : *DLC* **Voir figure 14**	contrôle de liaison de données Syn. : *commande de liaison de données*
data link layer Syn. : *data link level*	couche liaison de données
data link level	Voir *data link layer*
data network	réseau de données

data packet	paquet de données
data signal	signal de données
data station	station de données
data terminal equipment Abrév. : *DTE*	terminal de données Abrév. : *TD* Syn. : *équipement terminal de traitement de données* Abrév. : *ETTD*
data transfer	transfert de données Syn. : *transfert d'informations*
data transmission	Voir *data communication*
DCA	Voir *Document Content Architecture*
DCE	Voir *data circuit terminating equipment*
DDP	Voir *distributed data processing*
DDP network Syn. : *distributed processing network*	réseau de traitement réparti
deadlock Syn. : *interlock*	1. impasse (situation de conflit) Syn. : *interblocage* 2. verrouillage (protection de ressources, p. ex.)
decentralized architecture	architecture décentralisée Syn. : *structure décentralisée*
decentralized control	contrôle décentralisé
deference	ajournement
DEL	Voir *delimiter*
delimiter Abrév. : *DEL* Syn. : *separator* **Voir figure 14**	délimiteur Abrév. : *DEL* Syn. : *séparateur*

demultiplexing	démultiplexage de connexions
DES	Voir *data encryption standard*
destination address Abrév. : *DA* **Voir figure 14**	adresse de destination Syn. : *adresse destination* *adresse de destinataire* *adresse destinataire*
destination address field Abrév. : *DAF*	zone adresse destination Syn. : *champ adresse destination* *zone adresse destinataire* *champ adresse destinataire*
destination node	Voir *receiving node*
destination station	Voir *receiving station*
device sharing Syn. : *peripheral sharing*	partage de périphériques
DFC	Voir *data flow control*
DIA	Voir *Document Interchange Architecture*
differential Manchester	Voir *differential Manchester code*
differential Manchester code Syn. : *differential Manchester*	code Manchester différentiel Syn. : *Manchester différentiel*
differential Manchester encoding	codage Manchester différentiel
digital baseband transmission	Voir *baseband digital transmission*
digital PBX	PBX numérique
digital signal	signal numérique
digital transmission	transmission numérique
digital transmission system	système de transmission numérique

discretely timed signal	signal discret Syn. : *signal temporel discret*
distributed access	accès réparti Syn. : *accès distribué*
distributed access control	Voir *distributed control*
distributed access method Syn. : *distributed control access method*	méthode d'accès réparti Syn. : *méthode d'accès distribué*
distributed architecture	architecture répartie Syn. : *structure répartie* *architecture distribuée* *structure distribuée*
distributed control Syn. : *distributed access control*	contrôle réparti Syn. : *contrôle distribué*
distributed control access method	Voir *distributed access method*
distributed data processing Abrév. : *DDP* Syn. : *distributed processing* **Voir figure 1**	informatique répartie Syn. : *traitement réparti*
distributed operating system	système d'exploitation réparti Syn. : *système d'exploitation distribué*
distributed processing	Voir *distributed data processing*
distributed processing network	Voir *DDP network*
distributed reservation method	méthode de réservation répartie
distribution panel	panneau de distribution
DLC	Voir *data link control*
DLC procedure	procédure de contrôle de liaison de données Syn. : *procédure de commande de liaison de données*

Document Content Architecture
Abrév. : *DCA*

architecture de contenu de documents
Syn. : *DCA*

Document Interchange Architecture
Abrév. : *DIA*

architecture d'échange de documents
Abrév. : *DIA*

double loop network

réseau à double boucle

downstream node

noeud en aval

downward multiplexing
Syn. : *splitting*

éclatement de connexions
Syn. : *éclatement*

DTE

Voir *data terminal equipment*

dynamic allocation

allocation dynamique
Syn. : *réservation dynamique*
affectation dynamique

ECMA

Voir *European Computer Manufacturers Association*

ECS

Voir *establishment communication system*

ED

Voir *ending delimiter*

EIS

Voir *establishment information system*

electronic office system

Voir *office automation system*

empty slot

tranche vide
Syn. : *intervalle de temps vide*

encryption

Voir *data encryption*

end delimiter

Voir *ending delimiter*

ending delimiter Abrév. : *ED* Syn. : *ending frame delimiter* *end delimiter*	délimiteur de fin de trame
ending frame delimiter	Voir *ending delimiter*
end node	Voir *endpoint node*
endpoint	Voir *connection endpoint*
endpoint node Syn. : *end node*	noeud d'extrémité
end-to-end connectivity	connectivité de bout en bout
end-to-end protocol	protocole de bout en bout
end user	utilisateur final
end user application	application d'utilisateur final
enterprise communication	communication d'entreprise
enterprise communication link	liaison d'entreprise
enterprise communication system	système de communication d'entreprise
enterprise information system **Voir figure 3**	système d'information d'entreprise
entity	entité
error and fault detection	détection d'erreurs et d'incidents
error checking	Voir *error control*
error control Syn. : *error checking*	contrôle d'erreurs
error detected bit	Voir *error detected indicator bit*
error detected flag	Voir *error detected indicator bit*
error detected indicator	Voir *error detected indicator bit*

error detected indicator bit Syn. : *error detected indicator* *error detected bit* *error detected flag* **Voir figure 14**	bit indicateur de détection d'erreurs Syn. : *indicateur de détection d'erreurs* *bit de détection d'erreurs*
error detecting code	code détecteur d'erreurs Syn. : *code détecteur*
error detection	détection d'erreurs
error detection and correction	détection et correction d'erreurs
error detection and isolation	détection et localisation d'erreurs
error recovery	reprise sur erreur Syn. : *recouvrement d'erreurs* *redressement d'erreurs*
establishment communication	communication d'établissement
establishment communication link	liaison d'établissement
establishment communication system Abrév. : *ECS*	système de communication d'établissement
establishment information system Abrév. : *EIS* **Voir figure 2**	système d'information d'établissement
Ethernet	réseau Ethernet Syn. : *Ethernet*
European Computer Manufacturers Association Abrév. : *ECMA*	Association de constructeurs européens de calculatrices électroniques Abrév. : *ECMA*
explicit addressing	adressage explicite Syn. : *technique de jeton adressé*
explicit token	jeton adressé

f

fault detection	détection d'incidents Syn. : *détection de dérangements*
fault detection and isolation	détection et localisation d'incidents Syn. : *détection et localisation de dérangements*
fault detection mechanism	mécanisme de détection d'incidents Syn. : *mécanisme de détection de dérangements*
fault isolation	localisation d'incidents Syn. : *localisation de dérangements*
faulty node	noeud en panne Syn. : *noeud défectueux*
FCS	Voir *frame check sequence*
FCS field	zone SCT Syn. : *champ SCT*
FDM	Voir *frequency division multiplexing*
FDMA	Voir *frequency division multiple access*
FF	Voir *frame format*
fiber optic cable Syn. : *optical fiber cable* **Voir figure 5**	câble optique Syn. : *câble à fibres optiques*

fiber optic LAN	réseau local optique Syn. : *réseau local à fibres optiques*
fiber optic repeater Syn. : *optical fiber repeater*	répéteur optique
file server	serveur de fichiers Syn. : *serveur fichiers*
file sharing	partage de fichiers
filter	filtre
filter function	Voir *address filtering*
flag	indicateur Syn. : *fanion*
flag bit	Voir *indicator bit*
flexibility	flexibilité
flow control	contrôle de flux
FM	Voir *function management*
fragmentation	segmentation
frame	trame Syn. : *train de données*
frame check algorithm	algorithme de contrôle de trame
frame check sequence Abrév. : *FCS* **Voir figure 14**	séquence de contrôle de trame Abrév. : *SCT*
frame copied bit	Voir *frame copied indicator bit*
frame copied indicator	Voir *frame copied indicator bit*
frame copied indicator bit Syn. : *frame copied indicator* *frame copied bit* **Voir figure 14**	bit indicateur de copie de trame Syn. : *indicateur de copie de trame*

frame delimiter	délimiteur de trame
frame format Abrév. : *FF* Syn. : *frame structure* **Voir figure 14**	structure de trame Syn. : *format de trame*
frame recognition	reconnaissance de trame
frame sequencing	séquencement de trames
frame structure	Voir *frame format*
frame transfer	transfert de trames
free state	état libre
free token **Voir figure 20**	jeton libre
free token generation Syn. : *token generation*	génération de jeton libre Syn. : *génération de jeton*
free token loss	perte de jeton libre
frequency agile modem	modem dynamique en fréquence
frequency converter Syn. : *frequency translator*	convertisseur de fréquences
frequency division multiple access Abrév. : *FDMA*	accès multiple à répartition en fréquence Abrév. : *AMRF*
frequency division multiplexing Abrév. : *FDM*	multiplexage en fréquence
frequency shift keying Abrév. : *FSK* Syn. : *frequency shift key modulation* *FSK modulation*	modulation par déplacement de fréquence Abrév. : *MDF* Syn. : *modulation par saut de fréquence*
frequency shift key modulation	Voir *frequency shift keying*
frequency translator	Voir *frequency converter*

FSK	Voir *frequency shift keying*
FSK modulation	Voir *frequency shift keying*
full connectivity	connectivité totale
full/empty bit	Voir *full/empty indicator bit*
full/empty indicator bit Syn. : *full/empty bit*	bit indicateur plein-vide Syn. : *bit indicateur PV* *indicateur plein-vide* *indicateur PV*
full slot	tranche pleine Syn. : *intervalle de temps plein*
function call	appel de fonctions
function management Abrév. : *FM*	gestion de fonctions

g

gateway **Voir figure 13**	passerelle Syn. : *passerelle de communication*
gateway card	carte passerelle
gateway PC	PC passerelle
geographical dispersion	Voir *geographic scope*
geographic coverage	Voir *geographic scope*
geographic scope Syn. : *geographic coverage* *geographical dispersion*	couverture géographique Syn. : *couverture spatiale* *étendue géographique*
group poll	Voir *group polling*

group polling Syn. : *group poll*	appel par groupe
guardband	bande de garde

h

hard failure	Voir *hard fault*
hard fault Syn. : *hard failure*	incident permanent
hard fault detection	détection d'incidents permanents
headend	tête de station
header	en-tête (de trame, p. ex.) Syn. : *fanion de début* *fanion de tête*
heterogeneity	hétérogénéité
heterogeneous computer network Syn. : *heterogeneous network*	réseau hétérogène d'ordinateurs Syn. : *réseau hétérogène*
heterogeneous LAN	réseau local hétérogène
heterogeneous machine	machine hétérogène Syn. : *équipement hétérogène*
heterogeneous network	Voir *heterogeneous computer network*
hierarchical configuration	configuration hiérarchique
hierarchical network structure	Voir *hierarchical structure*

hierarchical structure Syn. : *hierarchical wiring structure* *hierarchical network structure*	structure hiérarchique Syn. : *structure hiérarchisée* *structure en pyramide*
hierarchical wiring structure	Voir *hierarchical structure*
higher layer Syn. : *higher level*	couche supérieure Syn. : *couche de plus haut niveau*
higher layer protocol Syn. : *higher level protocol*	protocole de plus haut niveau
higher level	Voir *higher layer*
higher level protocol	Voir *higher layer protocol*
high speed communication Syn. : *high speed transmission*	communication à haute vitesse Syn. : *communication haute vitesse* *transmission à haute vitesse* *transmission haute vitesse*
high speed data link	liaison de données à haute vitesse Syn. : *liaison de données haute vitesse*
high speed digital switch	commutateur numérique à haute vitesse Syn. : *commutateur numérique haute vitesse*
high speed LAN Syn. : *high speed local network* Abrév. : *HSLN*	réseau local à haute vitesse Syn. : *réseau local haute vitesse*
high speed link	liaison à haute vitesse Syn. : *liaison haute vitesse*
high speed local network	Voir *high speed LAN*

high speed modem	modem à haute vitesse Syn. : *modem haute vitesse*
high speed ring	anneau à haute vitesse Syn. : *anneau haute vitesse*
high speed token ring	anneau à jeton à haute vitesse Syn. : *anneau à jeton haute vitesse*
high speed transmission	Voir *high speed communication*
homogeneity	homogénéité
homogeneous computer network Syn. : *homogeneous network*	réseau homogène d'ordinateurs Syn. : *réseau homogène*
homogeneous LAN Syn. : *homogeneous local network*	réseau local homogène
homogeneous local network	Voir *homogeneous LAN*
homogeneous network	Voir *homogeneous computer network*
host	Voir *host computer*
host computer Syn. : *host system* *host*	ordinateur hôte Syn. : *système hôte* *hôte*
host connectivity	connectabilité d'ordinateur hôte
host system	Voir *host computer*
HSLN	Voir *high speed LAN*
hybrid LAN Syn. : *hybrid local network* *composite local network*	réseau local hybride
hybrid local network	Voir *hybrid LAN*
hybrid local network architecture	architecture de réseau local hybride

hybrid network
Syn. : *composite network*

réseau hybride

I

IBM Cabling System

système de câblage IBM

IBM Industrial PC

Voir *IBM Industrial Personal Computer*

IBM Industrial Personal Computer
Syn. : *IBM Industrial PC*

ordinateur personnel industriel IBM
Syn. : *PC industriel IBM*

IBM PC

Voir *IBM Personal Computer*

IBM PC Network

réseau local PC IBM

IBM PC Network Adapter

carte de réseau local PC IBM

IBM PC Token Ring Adapter Card

Voir *IBM Token Ring Network PC Adapter*

IBM Personal Computer
Syn. : *IBM PC*

ordinateur personnel IBM
Syn. : *PC IBM*

IBM Token Ring Network

réseau en anneau à jeton IBM
Syn. : *réseau local en anneau à jeton IBM*

IBM Token Ring Network PC Adapter
Syn. : *IBM PC Token Ring Adapter Card*

carte PC de réseau en anneau à jeton IBM

IEEE

Voir *Institute of Electrical and Electronic Engineers*

implicit addressing	adressage implicite Syn. : *technique de jeton non adressé*
implicit token	jeton non adressé
implicit token passing	passage de jeton non adressé
inbound traffic	trafic entrant
indicator bit Syn. : *flag bit*	bit indicateur Syn. : *indicateur*
individual workstation	Voir *personal workstation*
industrial computer	ordinateur industriel
industrial LAN	réseau local industriel
information field	Voir *data field*
information frame	Voir *data frame*
information frame structure	Voir *data frame format*
information transport	transport d'informations
information transport system	système de transport d'informations
infrared system	système infrarouge
insert/remove request	demande d'insertion et de retrait (de station, p. ex.)
insert request	demande d'insertion (de station, p. ex.)
Institute of Electrical and Electronic Engineers Abrév. : *IEEE*	IEEE (seul équivalent utilisé en français)
integrated office automation system	Voir *integrated office system*

integrated office system Abrév. : *IOS* Syn. : *integrated office automation system* Abrév. : *IOAS*	système bureautique intégré Syn. : *système BI*
integrated services digital network Abrév. : *ISDN*	réseau numérique à intégration de services Abrév. : *RNIS* Syn. : *réseau numérique multiservice*
intercommunication	intercommunication
intercommunication network	réseau d'intercommunication
interconnection	interconnexion
interconnection interface	interface d'interconnexion
interconnection link	liaison d'interconnexion
interconnectivity	1. interconnectivité (réseau) 2. interconnectabilité (matériel)
interfacing	interfaçage
interlock	Voir *deadlock*
intermediate function	fonction intermédiaire
intermediate node	noeud intermédiaire
International Organization for Standardization Abrév. : *ISO*	Organisation internationale de normalisation Abrév. : *ISO*
International Telegraph and Telephone Consultative Committee Abrév. : *CCITT*	Comité consultatif international télégraphique et téléphonique Abrév. : *CCITT*
internet protocol	Voir *internetwork protocol*
Internet Protocol (spéc.) Abrév. : *IP*	protocole Internet Abrév. : *IP* Syn. : *protocole IP*

internetting	Voir *internetworking*
internetworking Syn. : *internetting*	interconnexion de réseaux
internetwork protocol Syn. : *internet protocol* (gén.)	protocole interréseau
intersystem coupling Syn. : *inter-systems coupling*	couplage intersystème
inter-systems coupling	Voir *intersystem coupling*
interworking	interfonctionnement
IOAS	Voir *integrated office system*
IOS	Voir *integrated office system*
IP	Voir *Internet Protocol*
ISDN	Voir *integrated services digital network*
ISO	Voir *International Organization for Standardization*
ISO layer	couche ISO
ISO/OSI reference model Syn. : *ISO reference model*	modèle de référence ISO/OSI Syn. : *modèle de référence ISO* *modèle ISO d'interconnexion de systèmes ouverts*
ISO reference model	Voir *ISO/OSI reference model*

l

LAB	Voir *line and token ring attachment base*
LAN	Voir *local area network*
LAN access protocol	protocole d'accès au réseau local
LAN architecture	Voir *LAN topology*
LAN broadcast	diffusion sur réseau local Syn. : *diffusion générale sur réseau local*
LAN controller	contrôleur de réseau local Syn. : *communicateur de réseau local*
LAN gateway	passerelle de réseaux locaux
LAN multicast	multidiffusion sur réseau local Syn. : *diffusion sélective sur réseau local*
LAN server	serveur de réseau local
LAN-to-LAN bridge	pont de réseaux locaux
LAN topology Syn. : *LAN architecture*	topologie de réseau local Syn. : *architecture de réseau local* (gén.) *structure de réseau local*
LAP	Voir *link access protocol*
layer Syn. : *level*	couche Syn. : *niveau*

layered architecture	architecture en couches Syn. : *architecture structurée en couches*
layered communication architecture model	modèle d'architecture en couches
layering	structuration en couches Syn. : *organisation en couches*
layer management	gestion de couches
level	Voir *layer*
line amplifier	amplificateur de ligne Syn. : *amplificateur de signal de ligne*
line and token ring attachment base Abrév. : *LAB*	dispositif de connexion ligne-anneau Abrév. : *LAB*
line attachment	1. connexion de ligne 2. dispositif de connexion de ligne
link access	accès à la liaison
link access protocol Abrév. : *LAP*	protocole d'accès à la liaison Abrév. : *PAL* Syn. : *protocole de liaison* *procédure d'accès à la liaison*
link fault detection	détection d'incidents sur liaison
link multiplex	multiplexage de liaisons
link multiplex sublayer	sous-couche de multiplexage de liaisons
LLC	Voir *logical link control*
LLC protocol	protocole LLC
LLC sublayer	sous-couche LLC

LLC type 1	LLC type 1
LLC type 2	LLC type 2
LNA	Voir *local network architecture*
lobe	lobe
lobe attaching unit	unité de connexion de lobe Syn. : *unité de raccordement de lobe*
lobe bypass	contournement de lobe Syn. : *court-circuit de lobe* *évitement de lobe*
local area communication	communication locale
local area network Abrév. : *LAN* Syn. : *local network*	réseau local (gén.) Abrév. : *RL* Syn. : *réseau local d'entreprise* (spéc.) Abrév. : *RLE* Syn. : *réseau d'entreprise* (spéc.)
local area networking	Voir *local networking*
local data communication	communication locale de données
local host	ordinateur hôte local Syn. : *système hôte local*
local host connectivity	connectabilité d'ordinateur hôte local
local network	Voir *local area network*
local network architecture Abrév. : *LNA*	architecture de réseau local (spéc.)
local networking Syn.: *local area networking*	connexion de réseaux locaux
local network user	utilisateur de réseau local

logical collision	collision logique
logical connection Syn. : *logical link connection*	connexion logique
logical connectivity	connectivité logique
logical layer Syn. : *logical level*	couche logique
logical level	Voir *logical layer*
logical link	liaison logique
logical link connection	Voir *logical connection*
logical link control Abrév. : *LLC*	contrôle de liaison logique Abrév. : *LLC* Syn. : *commande de liaison logique*
logical loop	boucle logique
logical ring	anneau logique
logical ring initialization	initialisation d'anneau logique
logical routing	acheminement logique Syn. : *routage logique*
long haul network	Voir *wide area network*
loop architecture	Voir *loop topology*
loop network	réseau en boucle
loop topology Syn. : *loop architecture* **Voir figure 9**	topologie en boucle Syn. : *architecture en boucle* *structure en boucle*
lost token	jeton perdu
lost token condition	perte de jeton
lower layer Syn. : *lower level*	couche inférieure Syn. : *couche de plus bas niveau*

lower level	Voir *lower layer*
low speed data link	liaison de données à basse vitesse Syn. : *liaison de données basse vitesse*

m

MAC	Voir *medium access control*
MAC layer	Voir *MAC sublayer*
MAC protocol	protocole MAC
MAC sublayer Syn. : *MAC layer*	sous-couche MAC Syn. : *couche MAC*
MAC technique	technique MAC
mailbox	boîte aux lettres Abrév. : *BAL*
mail server	serveur de messagerie Syn. : *serveur de messages*
main ring	Voir *primary ring*
Manchester code	code Manchester
Manchester encoding Syn. : *Manchester phase encoding*	codage Manchester
Manchester phase encoding	Voir *Manchester encoding*
master polling list Syn. : *master poll list* **Voir figure 17**	liste principale d'appel Syn. : *liste principale d'invitation à émettre*
master poll list	Voir *master polling list*

MAU	Voir *medium attachment unit*
MAU	Voir *multistation access unit*
maximum propagation time	Voir *propagation delay*
MCL	Voir *multiuse communication loop*
MDI	Voir *medium dependent interface*
medium	Voir *transmission medium*
medium access control Abrév. : *MAC*	contrôle d'accès au support Abrév. : *MAC* Syn. : *commande d'accès au support*
medium access unit	Voir *medium attachment unit*
medium attachment unit Abrév. : *MAU* Syn. : *medium access unit*	unité de connexion au support Syn. : *unité de raccordement au support* *unité d'accès au support*
medium dependent interface Abrév. : *MDI*	interface dépendant du support
mesh network	réseau maillé
message switching	commutation de messages
message system	système de messagerie
messaging service	service de messagerie
MOD	Voir *modifier field*
modifier field Abrév. : *MOD* **Voir figure 14**	zone modificatrice Syn. : *champ modificateur* Abrév. : *MOD*
monitor count **Voir figure 14**	comptage moniteur
monitor count bit	Voir *monitor count indicator bit*

monitor count flag	Voir *monitor count indicator bit*
monitor count indicator bit Syn. : *monitor count bit* *monitor count flag*	bit indicateur de comptage moniteur Syn. : *indicateur de comptage moniteur* *bit de comptage moniteur*
multiple bridge backbone ring Syn. : *multiple bridge ring* **Voir figure 12**	anneau central multipoint Syn. : *anneau multipont*
multiple bridge LAN **Voir figure 12**	réseau local multipont
multiple bridge ring	Voir *multiple bridge backbone ring*
multiple layer reference model	modèle de référence multicouche
multiple user operating system	Voir *multiuser operating system*
multiple user system	Voir *multiuser operating system*
multipoint access	accès multipoint
multipoint communication Syn. : *multipoint transmission*	communication multipoint Syn. : *transmission multipoint*
multipoint connection	connexion multipoint
multipoint connectivity	connectivité multipoint
multipoint line	ligne multipoint
multipoint link	liaison multipoint
multipoint network	réseau multipoint
multipoint transmission	Voir *multipoint communication*
multistation access unit Abrév. : *MAU*	unité d'accès multistation Abrév. : *MAU* Syn. : *unité d'accès multiposte* *unité de raccordement multistation*

multiuse communication loop Abrév. : *MCL*	boucle de communication multifonction
multiuser operating system Syn. : *multiuser system* *multiple user operating system* *multiple user system*	système d'exploitation multi-utilisateur Syn. : *système multi-utilisateur*
multiuser system	Voir *multiuser operating system*

n

NAD	Voir *network access device*
NAK	Voir *negative acknowledgment*
NCC	Voir *network control center*
NCU	Voir *network communication unit*
negative acknowledgment Abrév. : *NAK*	accusé de réception négatif
NETBIOS Syn. : *Network Basic Input/Output System* *NETBIOS interface*	NETBIOS Syn. : *interface NETBIOS*
NETBIOS interface	Voir *NETBIOS*
NETBIOS program	programme NETBIOS
network access	accès au réseau
network access device Abrév. : *NAD*	dispositif d'accès au réseau
network adapter card	carte de réseau local

network address	adresse de réseau Syn. : *adresse réseau*
network addressable unit	unité adressable de réseau
network architecture	Voir *network topology*
Network Basic Input/Output System	Voir *NETBIOS*
network communication unit Syn. : *NCU*	communicateur de réseau Syn. : *communicateur*
network configuration	configuration de réseau
network control	contrôle de réseau
network control center Abrév. : *NCC*	centre de contrôle de réseau
network controller	contrôleur de réseau
network fault	incident réseau
networking	connexion de réseaux
network interconnectivity	1. interconnectivité de réseau (caractéristique) 2. interconnectabilité de réseaux
network interface	interface réseau
network interface unit Abrév. : *NIU*	unité d'interface réseau
network layer	couche réseau
network management	gestion de réseau
network manager	gestionnaire de réseau
network name	nom de réseau Syn. : *nom réseau*

network node	noeud de réseau
network reconfiguration	reconfiguration de réseau
network status	état de réseau
network structure	Voir *network topology*
network system	système réseau
network topology Syn. : *network architecture* *network structure*	topologie de réseau Syn. : *architecture de réseau* *structure de réseau*
Newhall ring	anneau de Newhall
NIU	Voir *network interface unit*
node **Voir figure 13**	noeud
node address **Voir figure 14**	adresse de noeud Syn. : *adresse noeud*
node manager	gestionnaire de noeud
nonblocking network	réseau à accès non bloquant
nonpersistent CSMA	CSMA non persistant
nonswitched connection	connexion non commutée
normal response mode Abrév. : *NRM* Syn. : *set normal response mode* Abrév. : *SNRM*	mode de réponse normal Abrév. : *NRM* Syn. : *mode NRM*
NRM	Voir *normal response mode*

O

OAS	Voir *office automation system*
office automation	bureautique
office automation system Abrév. : *OAS* Syn. : *automated office system* *electronic office system*	système bureautique
Omninet	réseau Omninet Syn. : *Omninet*
open architecture	Voir *open network architecture*
open LAN	réseau local ouvert
open loop	boucle ouverte
open network	réseau ouvert
open network architecture Syn. : *open architecture*	architecture de réseau ouvert Syn. : *architecture ouverte*
open system	système ouvert
open systems architecture Abrév.: *OSA*	architecture de systèmes ouverts Syn. : *architecture OSI*
Open Systems Interconnection Abrév. : *OSI*	interconnexion de systèmes ouverts Abrév. : *OSI*
operating system Abrév. : *OS*	système d'exploitation Abrév. : *SE*
optical fiber	fibre optique
optical fiber cable	Voir *fiber optic cable*
optical fiber repeater	Voir *fiber optic repeater*

originating node	Voir *sending node*
origination address	Voir *source address*
originator	Voir *sender*
OS	Voir *operating system*
OSA	Voir *open systems architecture*
OSI	Voir *Open Systems Interconnection*
OSI layer	couche OSI
OSI model	Voir *OSI reference model*
OSI protocol	protocole OSI
OSI reference model Syn. : *OSI model*	modèle de référence OSI Syn. : *modèle OSI*
OSI software	logiciel OSI
outbound traffic	trafic sortant

p

PABX	Voir *private branch exchange*
pacing	régulation
packet switching	commutation de paquets
parallel link	liaison parallèle
parallel transmission	transmission parallèle
parity bit	bit de parité

passive connection	connexion passive Syn. : *jonction passive*
passive element	élément passif
passive medium	support passif
passive monitor Syn. : *passive token monitor*	moniteur passif
passive node	noeud passif
passive token monitor	Voir *passive monitor*
patch panel	panneau de raccordement
PBX	Voir *private branch exchange*
PC	Voir *personal computer*
PC LAN Syn. : *PC local network* *PC network*	réseau local de PC Syn. : *réseau de PC*
PC local network	Voir *PC LAN*
PCM	Voir *pulse code modulation*
PC network	Voir *PC LAN*
PC token ring adapter card	Voir *token ring network PC adapter*
PE	Voir *phase modulation recording*
peer layer	couche homologue Syn. : *entité homologue*
peer-to-peer communication	communication d'égal à égal
periodic time interval	Voir *set time interval*
peripheral sharing	Voir *device sharing*
persistent CSMA	CSMA persistant

personal computer Abrév. : *PC*	ordinateur personnel Abrév. : *PC*
personal computing	informatique individuelle
personal workstation Syn. : *individual workstation*	station de travail individuelle Syn. : *poste de travail individuel*
phase encoded recording	Voir *phase modulation recording*
phase encoding	Voir *phase modulation recording*
phase modulation Abrév. : *PM*	modulation de phase
phase modulation recording Syn. : *phase encoding* Abrév. : *PE* Syn. : *phase encoded recording*	enregistrement par modulation de phase Syn. : *enregistrement en modulation de phase*
phase shift keying Abrév. : *PSK*	modulation par déplacement de phase Abrév. : *MDP* Syn. : *modulation par inversion de phase*
physical connection	connexion physique
physical control **Voir figure 14**	contrôle physique
physical control field	zone de contrôle physique Syn. : *champ de contrôle physique*
physical header **Voir figure 14**	en-tête physique (de trame, p. ex.)
physical interconnection link	Voir *physical link*
physical interface	interface physique

physical layer Syn. : *physical level*	couche physique
physical level	Voir *physical layer*
physical link Syn. : *physical interconnection link*	liaison physique
physical link topology Syn. : *physical topology*	topologie physique Syn. : *architecture physique*
physical loop	boucle physique
physical medium	support physique
physical medium attachment Abrév. : *PMA*	connexion au support physique Syn. : *raccordement au support physique*
physical ring	anneau physique
physical signalling sublayer Abrév. : *PSS sublayer*	sous-couche de signalisation physique
physical star	étoile physique
physical star topology	topologie en étoile physique
physical topology	Voir *physical link topology*
physical trailer **Voir figure 14**	fin physique (de trame, p. ex.) Syn. : *remorque physique*
Pierce loop	boucle de Pierce
PM	Voir *phase modulation*
PMA	Voir *physical medium attachment*
PMA sublayer	sous-couche de connexion au support physique Syn. : *sous-couche de raccordement au support physique*

point-to-point communication Syn. : *point-to-point transmission*	communication point à point Syn. : *transmission point à point*
point-to-point connection	connexion point à point
point-to-point connectivity	connectivité point à point
point-to-point line	ligne point à point
point-to-point link	liaison point à point
point-to-point transmission	Voir *point-to-point communication*
poll frame	Voir *polling frame*
polling Syn. : *selective polling* *selective poll* **Voir figure 17**	appel sélectif Syn. : *appel* *invitation à émettre*
polling frame Syn. : *poll frame*	trame d'appel Syn. : *trame d'invitation à émettre*
polling list Syn. : *poll list*	liste d'appel Syn. : *liste d'invitation à émettre*
polling protocol	protocole d'appel Syn. : *protocole d'invitation à émettre*
poll list	Voir *polling list*
postamble	postambule
preamble	préambule
predetermined time interval	Voir *set time interval*
presentation layer	couche présentation
primary network	réseau primaire Abrév. : *RP* Syn. : *réseau principal*

primary ring Syn. : *principal ring* *main ring* **Voir figure 11**	anneau primaire Syn. : *anneau principal*
primary station	station primaire Abrév. : *PRI* Syn. : *station principale*
primitive	primitive
principal ring	Voir *primary ring*
printer sharing	partage d'imprimante Syn. : *partage imprimante*
printer status	état d'imprimante
print server	serveur d'impression Syn. : *serveur imprimante*
prioritized CSMA	Voir *carrier sense multiple access with collision avoidance*
priority bit	Voir *priority indicator bit*
priority indicator bit Syn. : *priority bit*	bit indicateur de priorité Syn. : *indicateur de priorité* *bit de priorité*
priority mechanism	mécanisme de priorité Syn. : *mécanisme d'accès prioritaire*
priority mode	mode de priorité
priority reservation Syn. : *priority setting* **Voir figure 14**	réservation de priorité
priority setting	Voir *priority reservation*
private automatic branch exchange	Voir *private branch exchange*

private branch exchange Abrév. : *PBX* Syn. : *private automatic branch exchange* Abrév. : *PABX*	autocommutateur privé Abrév. : *PBX* Syn. : *autocommutateur privé électronique* Abrév. : *PABX*
private network	réseau privé
propagation delay Syn. : *maximum propagation time*	délai de propagation
propagation time	temps de propagation
protocol	protocole
protocol conversion	conversion de protocole
protocol converter	convertisseur de protocole
protocol data unit	unité de données de protocole
protocol reference model	modèle de référence de protocoles
PSK	Voir *phase shift keying*
PSS sublayer	Voir *physical signalling sublayer*
public network	réseau public
pulse code modulation Abrév. : *PCM*	modulation par impulsions et codage Abrév. : *MIC*
pure Aloha Syn. : *Aloha protocol* *Aloha*	protocole Aloha pur Syn. : *Aloha pur* *protocole Aloha* *Aloha*
purge (n.)	1. élimination (d'informations, p. ex.) 2. purge (de réseau, p. ex.)
purge (v.)	1. éliminer (les informations, p. ex.) 2. purger (un réseau, p. ex.)

r

random access	accès aléatoire (au réseau, p. ex.) Syn. : *accès probabiliste*
random access asynchronous TDM	MTA à accès aléatoire
random access method Syn. : *random access technique*	méthode d'accès aléatoire Syn. : *méthode d'accès probabiliste*
random access technique	Voir *random access method*
random delay	délai aléatoire
receiver Syn. : *recipient* *addressee* *target*	1. destinataire (personne) 2. récepteur (matériel)
receiving node Syn. : *destination node* *target node* **Voir figure 20**	noeud récepteur Syn. : *noeud destinataire* *noeud de destination*
receiving station Syn. : *destination station*	station réceptrice Syn. : *station destinataire* *station de destination*
recipient	Voir *receiver*
reconfiguration	reconfiguration
register insertion Syn. : *buffer insertion*	insertion de registre
register insertion ring	anneau à insertion de registre
register insertion technique	technique d'insertion de registre
reliability	fiabilité

remote host	ordinateur hôte distant Syn. : *système hôte distant*
remote host connectivity	connectabilité d'ordinateur hôte distant
remove request	demande de retrait (de station, p. ex.)
repeater	répéteur
rerouting	réacheminement Syn. : *reroutage*
reservation bit	Voir *reservation indicator bit*
reservation field	zone de réservation Syn. : *champ de réservation*
reservation indicator	Voir *reservation indicator bit*
reservation indicator bit Syn. : *reservation indicator* *reservation bit*	bit indicateur de réservation de priorité Syn. : *indicateur de réservation de priorité* *bit de réservation de priorité*
resource sharing	partage de ressources
response time	temps de réponse Syn. : *temps réponse*
ring	anneau
ring access method Syn. : *ring access technique*	méthode d'accès à l'anneau Syn. : *technique d'accès à l'anneau*
ring access protocol	protocole d'accès à l'anneau
ring access technique	Voir *ring access method*
ring adapter	Voir *ring interface adapter*
ring architecture	Voir *ring topology*

ring attachment	1. connexion à l'anneau 2. dispositif de connexion à l'anneau
ring configuration	Voir *ring network configuration*
ring initialization	initialisation d'anneau
ring interface adapter Syn. : *ring adapter*	adaptateur d'anneau
ring LAN Syn. : *ring topology LAN*	réseau local en anneau
ring network	réseau en anneau
ring network configuration Syn. : *ring configuration*	configuration de réseau en anneau Syn. : *configuration en anneau*
ring network reconfiguration Syn. : *ring reconfiguration*	reconfiguration de réseau en anneau Syn. : *reconfiguration en anneau*
ring number **Voir figure 14**	numéro d'anneau
ring reconfiguration	Voir *ring network reconfiguration*
ring segment	segment d'anneau
ring structure	Voir *ring topology*
ring topology Syn. : *ring architecture* *ring structure* **Voir figure 10**	topologie en anneau Syn. : *architecture en anneau* *structure en anneau*
ring topology LAN	Voir *ring LAN*
ring wiring	câblage en anneau
ring wiring concentrator **Voir figure 13**	concentrateur de câblage en anneau

roll call poll	Voir *roll call polling*
roll call polling Syn. : *roll call poll*	appel par liste
round trip propagation time	temps de propagation aller-retour
routing	acheminement Syn. : *routage*

S

SA	Voir *source address*
SABM	Voir *asynchronous balanced mode*
SAP	Voir *service access point*
SARM	Voir *asynchronous response mode*
SD	Voir *starting delimiter*
secondary network	réseau secondaire Abrév. : *RS*
secondary ring Syn. : *alternate ring* **Voir figure 11**	anneau secondaire
secondary station	station secondaire Abrév. : *SEC*
selective poll	Voir *polling*
selective polling	Voir *polling*
sender Syn. : *originator*	1. expéditeur (personne) 2. émetteur (matériel)

sending node Syn. : *transmitting node* *originating node* *source node* **Voir figure 20**	noeud émetteur
sending station Syn. : *transmitting station* *source station*	station émettrice Syn. : *station source*
separator	Voir *delimiter*
serial link	liaison série
serial transmission	transmission série
server	serveur
service access point Abrév. : *SAP*	point d'accès au service Abrév. : *SAP*
service data	Voir *control data*
service data unit	unité de données de service
session layer	couche session
set asynchronous balanced mode	Voir *asynchronous balanced mode*
set asynchronous response mode	Voir *asynchronous response mode*
set normal response mode	Voir *normal response mode*
set time interval Syn. : *predetermined time interval* *periodic time interval*	intervalle de temps déterminé
seven layer reference model	modèle de référence à sept couches
SFD	Voir *starting delimiter*
shared access link	liaison à accès partagé

shared access network	réseau à accès partagé
shared data Syn. : *shared information*	données partagées
shared data base	Voir *common data base*
shared information	Voir *shared data*
ShareNet	réseau ShareNet Syn. : *ShareNet*
shielded cable	câble blindé Syn. : *câble protégé*
shielded data grade cable	câble blindé de qualité données
shielded pair	paire blindée Syn. : *paire protégée*
shielded twisted pair Syn. : *shielded twisted pair wire* **Voir figure 4b**	paire torsadée blindée Syn. : *paire torsadée protégée*
shielded twisted pair wire	Voir *shielded twisted pair*
shift register	registre à décalage
signal amplifier	amplificateur de signal
simultaneous access	accès en parallèle Syn. : *accès simultané*
single user operating system Syn. : *single user system*	système d'exploitation mono-utilisateur Syn. : *système mono-utilisateur*
single user system	Voir *single user operating system*
slotted Aloha	Voir *slotted Aloha protocol*
slotted Aloha protocol Syn. : *slotted Aloha*	protocole Aloha à segmentation temporelle Syn. : *protocole Aloha à découpage temporel* *Aloha à segmentation temporelle*

slotted ring | anneau à segmentation temporelle
Syn. : *anneau à découpage temporel*

slotted ring method
Syn. : *slotted ring technique* | méthode de segmentation temporelle
Syn. : *technique de segmentation temporelle*
méthode de la tranche vide
technique de la tranche vide

slotted ring network | réseau en anneau à segmentation temporelle
Syn. : *réseau en anneau à découpage temporel*
réseau à tranche vide

slotted ring technique | Voir *slotted ring method*

slot time | durée de tranche
Syn. : *période élémentaire*

SNA | Voir *Systems Network Architecture*

SNA network | réseau SNA

SNRM | Voir *normal response mode*

soft failure | Voir *soft fault*

soft fault
Syn. : *soft failure* | incident temporaire

soft fault detection | détection d'incidents temporaires

software layer | couche logicielle

source address
Abrév. : *SA*
Syn. : *origination address*
Voir figure 14 | adresse d'origine
Syn. : *adresse origine*
adresse d'expéditeur
adresse expéditeur

source address field	zone adresse origine Syn. : *champ adresse origine* *zone adresse expéditeur* *champ adresse expéditeur*
source node	Voir *sending node*
source station	Voir *sending station*
space division switching	commutation spatiale
splitter	coupleur
splitting	Voir *downward multiplexing*
star	étoile
star configuration	Voir *star network configuration*
star LAN	réseau local en étoile
Starlan	réseau Starlan Syn. : *Starlan*
star network Syn. : *star topology network*	réseau en étoile Syn. : *réseau à topologie en étoile* *réseau étoilé*
star network configuration Syn. : *star configuration*	configuration de réseau en étoile Syn. : *configuration en étoile*
star ring Syn. : *star wired ring*	anneau étoilé Syn. : *anneau en étoile*
star ring architecture	Voir *star ring topology*
star ring network **Voir figure 13**	réseau en anneau étoilé Syn. : *réseau en anneau et étoile*
star ring organization	Voir *star ring topology*

star ring topology Syn. : *star wired ring topology* *star ring architecture* *star ring organization*	topologie en anneau étoilé Syn. : *architecture en anneau étoilé* *structure en anneau étoilé*
star ring wiring	câblage en anneau étoilé
starting delimiter Abrév. : *SD* Syn. : *starting frame delimiter* Abrév. : *SFD*	délimiteur de début de trame
starting frame delimiter	Voir *starting delimiter*
star topology **Voir figure 8**	topologie en étoile Syn. : *architecture en étoile* *structure en étoile*
star topology network	Voir *star network*
star wired ring	Voir *star ring*
star wired ring topology	Voir *star ring topology*
star wiring	câblage en étoile
static allocation	allocation statique Syn. : *réservation statique* *affectation statique*
statistical TDM	multiplexage temporel statistique Syn. : *MT statistique*
subnetwork	sous-réseau
supervisory frame	trame de supervision
switched connection	connexion commutée
switched network	réseau commuté
synchronous communication Syn. : *synchronous transmission*	communication synchrone Syn. : *transmission synchrone*

synchronous protocol	protocole d'accès synchrone Syn. : *protocole synchrone* *procédure synchrone*
synchronous TDM	multiplexage temporel synchrone Abrév. : *MTS*
synchronous terminal	terminal synchrone
synchronous traffic	trafic synchrone
synchronous transmission	Voir *synchronous communication*
Systems Network Architecture Abrév. : *SNA*	architecture unifiée de réseau Abrév. : *SNA*

t

tap	prise robinet
target	Voir *receiver*
target node	Voir *receiving node*
TDM	Voir *time division multiplexing*
TDMA	Voir *time division multiple access*
terminal connectivity	connectabilité de terminal
termination unit	Voir *terminator*
terminator Syn. : *termination unit*	dispositif de terminaison Syn. : *terminateur*
terrestrial transmission medium	support de transmission terrestre
throughput	débit maximum Syn. : *capacité*

TIC	Voir *token ring interface coupler*
time division multiple access Abrév. : *TDMA*	accès multiple à répartition dans le temps Abrév. : *AMRT*
time division multiplexing Abrév. : *TDM*	multiplexage temporel Abrév. : *MT*
time division switching	commutation temporelle
timeout	délai d'attente Syn. : *délai de garde*
timer	temporisateur
time slot	tranche de temps Syn. : *intervalle de temps*
token **Voir figure 14**	jeton
token access	Voir *token ring access*
token access control	contrôle d'accès au jeton
token access control mechanism	Voir *token access control method*
token access control method Syn. : *token access control mechanism*	méthode de contrôle d'accès au jeton Syn. : *méthode d'accès au jeton*
token access control procedure	Voir *token access control protocol*
token access control protocol Syn. : *token access control procedure*	protocole de contrôle d'accès au jeton Syn. : *procédure de contrôle d'accès au jeton*
token bus Syn. : *token passing bus*	bus à jeton
token bus protocol	protocole d'accès au bus à jeton

token controlled ring	Voir *token ring*
token generation	Voir *free token generation*
token indicator	Voir *token indicator bit*
token indicator bit Syn. : *token indicator*	bit indicateur de jeton Syn. : *indicateur de jeton*
token monitor	moniteur de jeton
token network	réseau à jeton
token passing	passage de jeton Syn. : *circulation de jeton* *rotation de jeton*
token passing bus	Voir *token bus*
token passing on a bus **Voir figure 19**	passage de jeton sur bus Syn. : *jeton sur bus*
token passing on a ring **Voir figures 18, 20, 21, 22 et 23**	passage de jeton sur anneau Syn. : *jeton sur anneau*
token passing ring	Voir *token ring*
token passing ring network	Voir *token ring network*
token priority **Voir figure 14**	priorité de jeton
token priority field	zone de priorité de jeton Syn. : *champ de priorité de jeton*
token recognition	reconnaissance de jeton
token ring Syn. : *token passing ring* *token controlled ring*	anneau à jeton Syn. : *anneau à jeton circulant*
token ring access Syn. : *token access*	accès à l'anneau à jeton

token ring access control protocol Syn. : *token ring protocol*	protocole de contrôle d'accès à l'anneau à jeton Syn. : *protocole d'accès à l'anneau à jeton*
token ring architecture	Voir *token ring topology*
token ring backbone	point central d'anneau à jeton
token ring baseband LAN	réseau local en bande de base et anneau à jeton Syn. : *réseau local bande de base en anneau à jeton*
token ring bridge	pont de réseau en anneau à jeton
token ring interface coupler Abrév. : *TIC*	coupleur d'interface d'anneau à jeton Abrév. : *TIC*
token ring LAN	réseau local en anneau à jeton
token ring method Syn. : *token ring technique*	méthode d'accès à l'anneau à jeton Syn. : *technique d'accès à l'anneau à jeton*
token ring network Syn. : *token passing ring network*	réseau en anneau à jeton Syn. : *réseau à jeton circulant*
token ring network gateway	passerelle de réseau en anneau à jeton
token ring network interface	interface de réseau en anneau à jeton
token ring network manager	gestionnaire de réseau en anneau à jeton
token ring network PC adapter Syn. : *PC token ring adapter card*	carte PC de réseau en anneau à jeton
token ring protocol	Voir *token ring access control protocol*

token ring structure	Voir *token ring topology*
token ring technique	Voir *token ring method*
token ring topology Syn. : *token ring architecture* *token ring structure*	topologie en anneau à jeton Syn. : *architecture en anneau à jeton* *structure en anneau à jeton*
token status	état de jeton
topological structure	Voir *topology*
topology Syn. : *topological structure*	topologie Syn. : *architecture* *structure*
trailer	fin (de trame, p. ex.) Syn. : *fanion de fin* *fanion de queue*
transfer rate	vitesse de transfert
transmission architecture	Voir *communication architecture*
transmission channel	Voir *communication channel*
transmission control unit	Voir *communication control unit*
transmission error	erreur de transmission
transmission frame	trame de transmission
transmission header	en-tête de transmission
transmission medium Syn. : *medium* **Voir figures 4 et 5**	support de transmission
transmission network	Voir *communication network*
transmission path	Voir *communication channel*
transmission protocol	Voir *communication protocol*

transmission rate	débit de transmission
transmission speed	vitesse de transmission
transmission system	Voir *communication system*
transmission technique	technique de transmission
transmission trailer	fin de transmission
transmitting node	Voir *sending node*
transmitting station	Voir *sending station*
transporter	transporteur Syn. : *contrôleur d'interface*
transport layer	couche transport
transport protocol	protocole de transport
tree	arbre Syn. : *arborescence*
tree network	réseau arborescent Syn. : *réseau en arbre*
tree structure	Voir *tree topology*
tree topology Syn. : *branching tree topology* *tree structure* **Voir figure 7**	topologie en arbre Syn. : *topologie arborescente* *architecture arborescente* *structure arborescente*
tri-axial cable	câble triaxial
twinax cable	Voir *twinaxial cable*
twinaxial cable Syn. : *twinax cable* **Voir figure 4a**	câble twinaxial Syn. : *câble twinax*
twisted pair Syn. : *twisted wire pair* *twisted pair wire*	paire torsadée Syn. : *paire symétrique* *paire de fils torsadés*

twisted pair cable	câble à paire torsadée Syn. : *câble à paire symétrique*
twisted pair wire	Voir *twisted pair*
twisted wire pair	Voir *twisted pair*

U

unauthorized access	accès non autorisé
unidirectional communication Syn. : *unidirectional transmission*	communication unidirectionnelle Syn. : *transmission unidirectionnelle*
unidirectional communication channel Syn. : *unidirectional communication path*	voie de communication unidirectionelle Syn. : *voie unidirectionnelle*
unidirectional communication link Syn. : *unidirectional transmission link*	liaison unidirectionnelle Syn. : *liaison unilatérale*
unidirectional communication path	Voir *unidirectional communication channel*
unidirectional transmission	Voir *unidirectional communication*
unidirectional transmission link	Voir *unidirectional communication link*
unnumbered frame	trame non numérotée
unshielded cable	câble non blindé Syn. : *câble non protégé*
unshielded pair	paire non blindée Syn. : *paire non protégée*

unshielded twisted pair	paire torsadée non blindée Syn. : *paire torsadée non protégée*
upstream node	noeud en amont
upward multiplexing	multiplexage de connexions
user access Syn. : *user-network access*	accès d'utilisateur Syn. : *accès utilisateur-réseau* *accès réseau-utilisateur*
user data	données d'utilisateur
user-network access	Voir *user access*

V

value added network Abrév. : *VAN*	réseau à valeur ajoutée Syn. : *réseau à VA*
value added service	service à valeur ajoutée Abrév. : *SVA* Syn. : *service à VA*
VAN	Voir *value added network*
voice/data communication Syn. : *voice/data transmission*	communication voix-données Syn. : *transmission voix-données*
voice/data integration	intégration voix-données
voice/data transmission	Voir *voice/data communication*
voice grade cable	câble de qualité téléphonique Syn. : *câble de qualité voix*
voice priority mode	mode de priorité voix

W

WAN	Voir *wide area network*
WangNet	réseau WangNet Syn. : *WangNet*
wide area network Abrév. : *WAN* Syn. : *long haul network*	réseau longue distance Syn. : *grand réseau*
wire pair	paire filaire Syn. : *paire métallique*
wiring concentrator **Voir figure 11**	concentrateur de câblage
wiring network	réseau de câblage
wiring system Syn. : *cabling system*	système de câblage
wiring topology	topologie de câblage
workstation	station de travail Syn. : *poste de travail*
workstation lobe	lobe de station de travail Syn. : *lobe de poste de travail*
wrapping	bouclage

Z

Zurich ring	anneau de Zurich

Illustrations

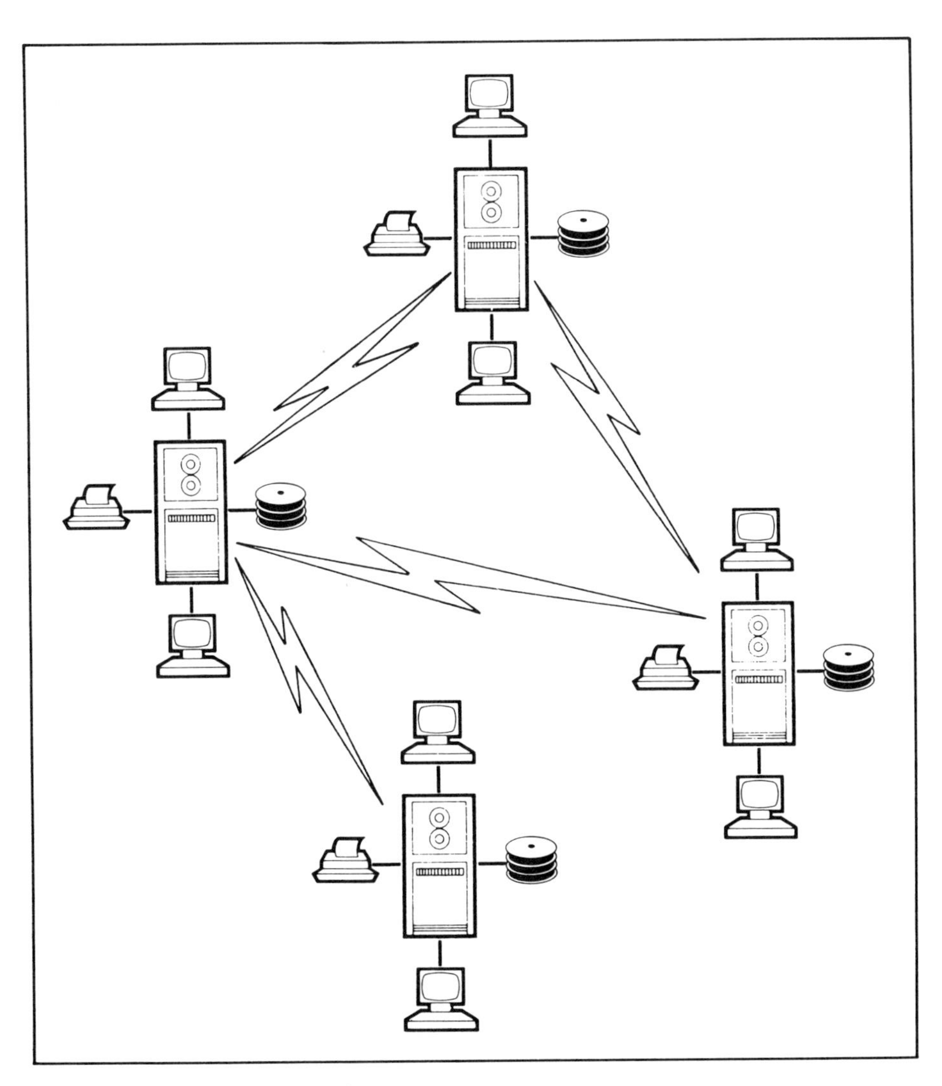

Figure 1. Informatique répartie

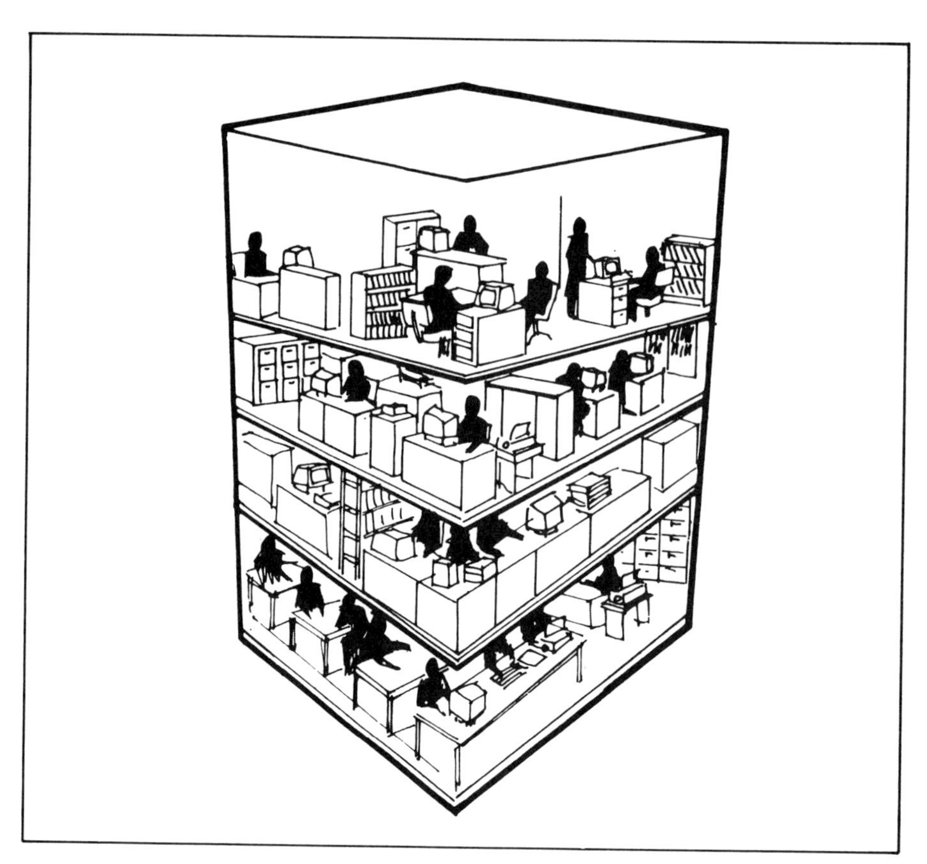

Figure 2. Système d'information d'établissement

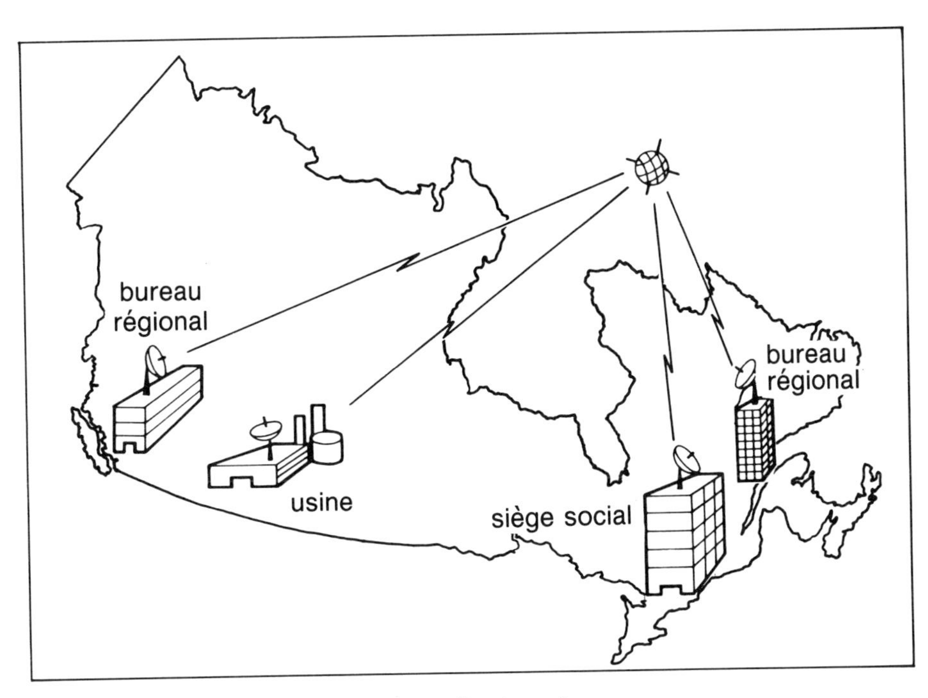

Figure 3. Système d'information d'entreprise

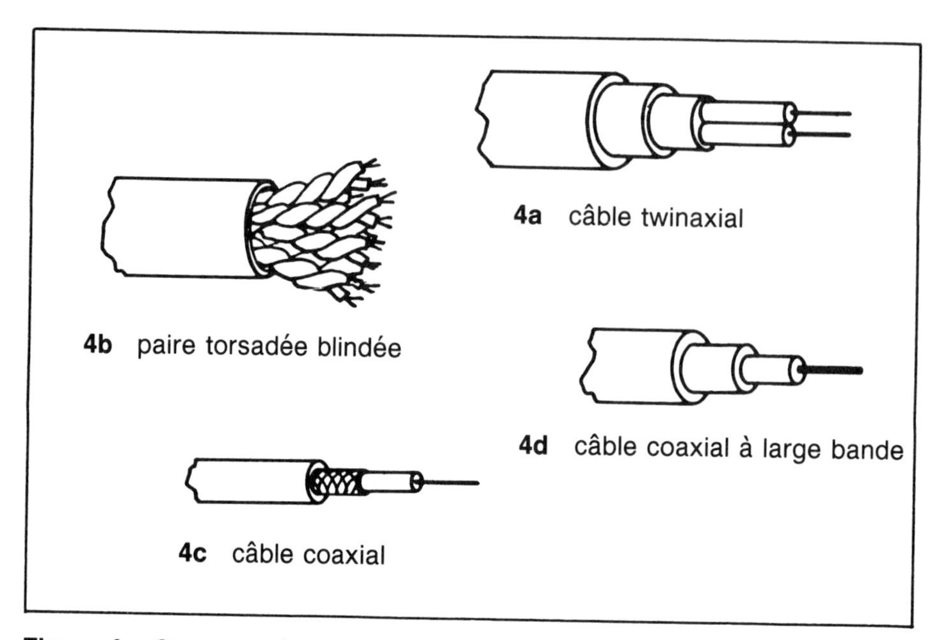

Figure 4. Supports de transmission (à fils de cuivre)

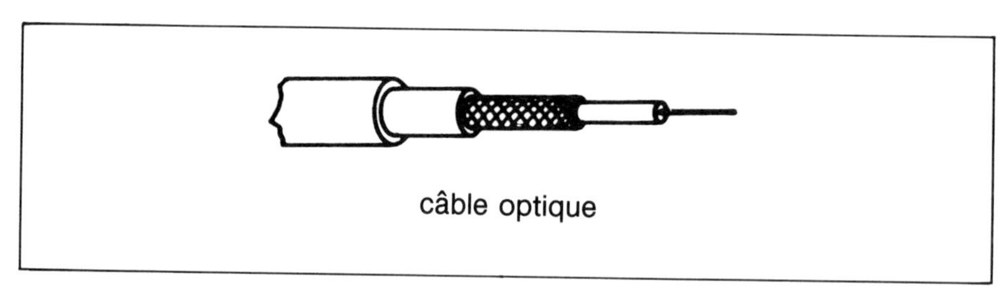

Figure 5. Support de transmission (à fibres optiques)

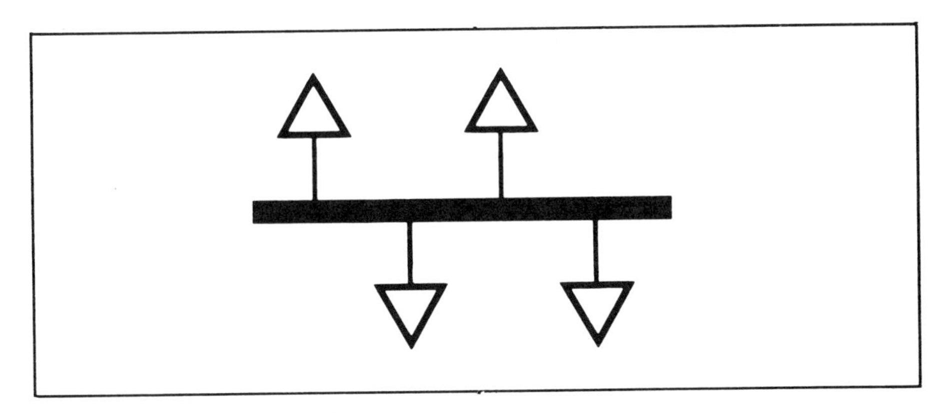

Figure 6. Topologie en bus

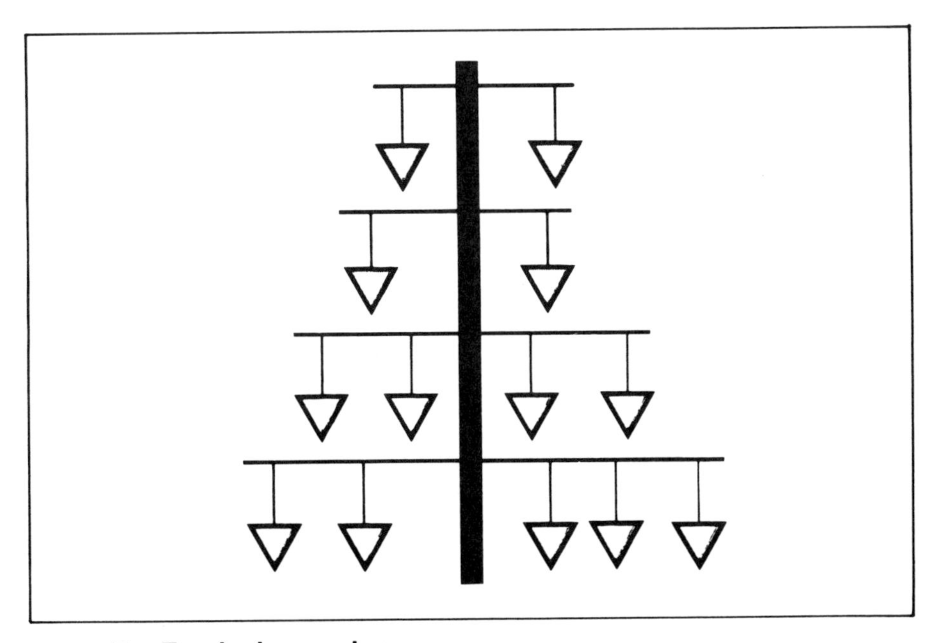

Figure 7. Topologie en arbre

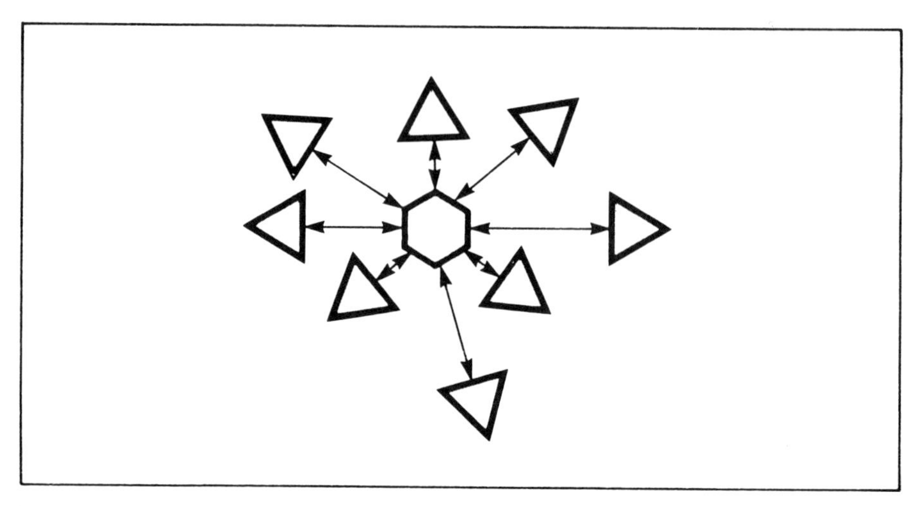

Figure 8. Topologie en étoile

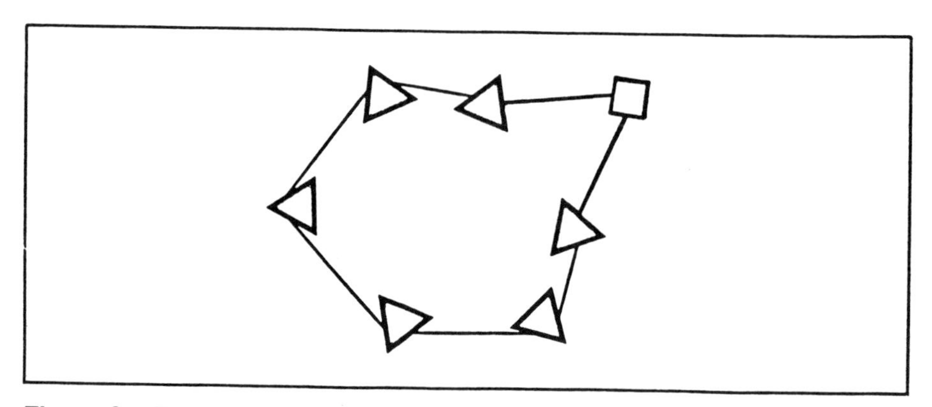

Figure 9. Topologie en boucle

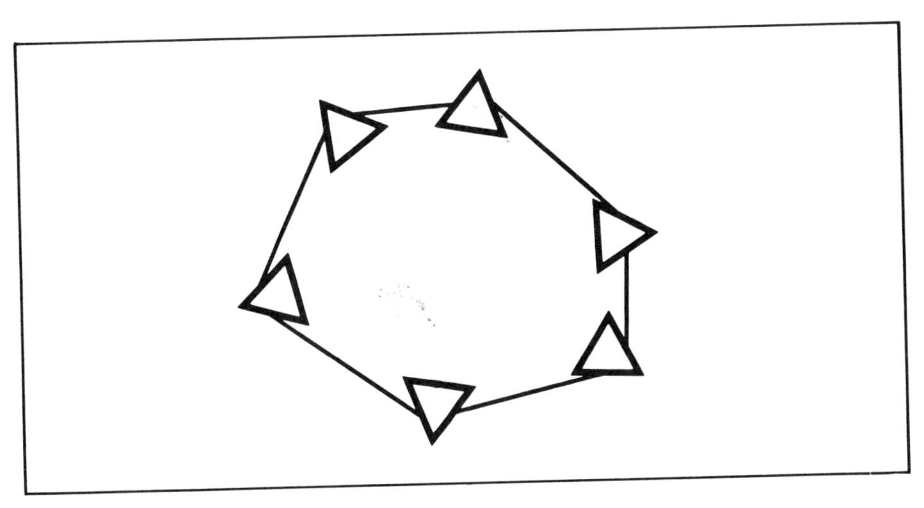

Figure 10. Topologie en anneau

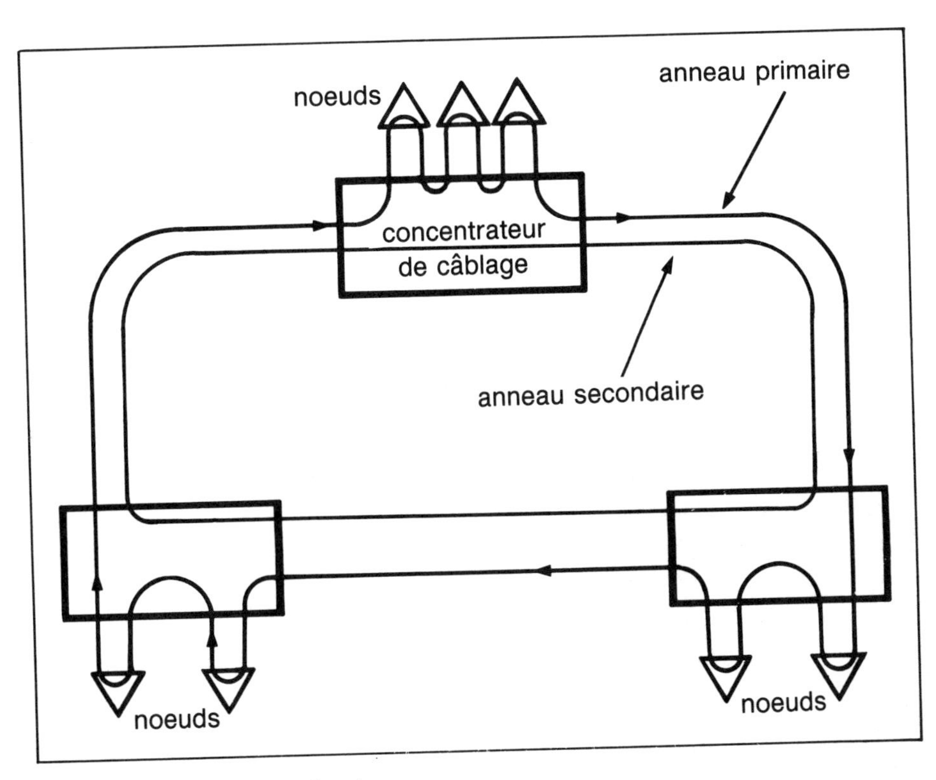

Figure 11. Anneau primaire

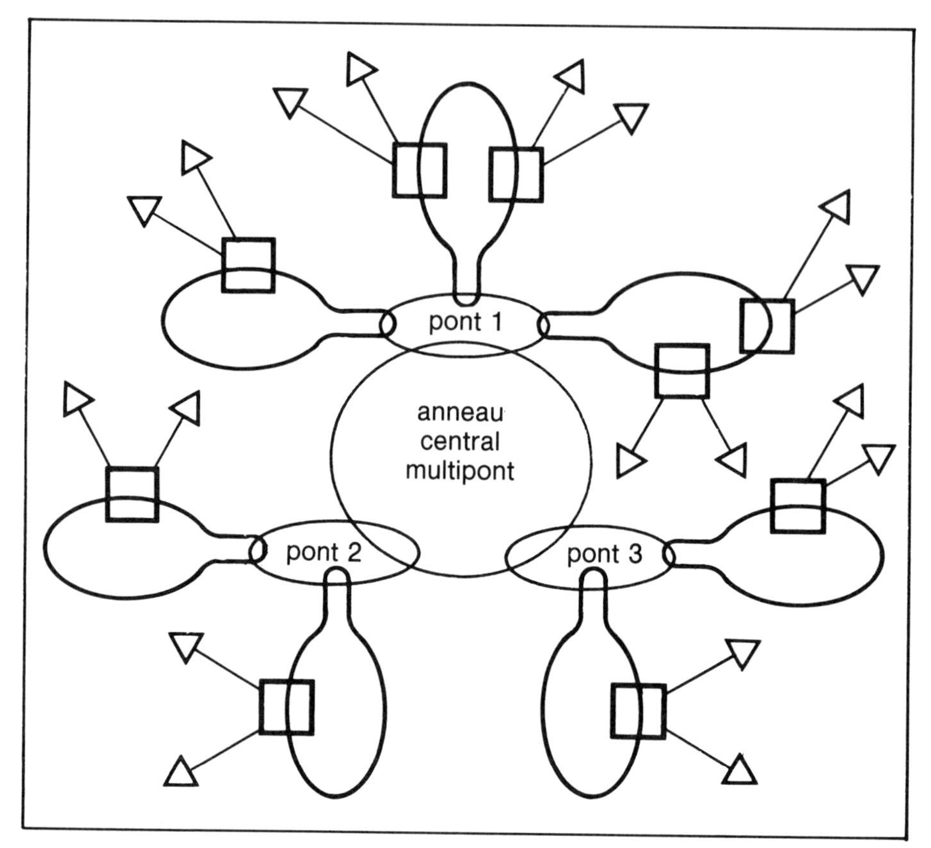

Figure 12. Réseau local multipont

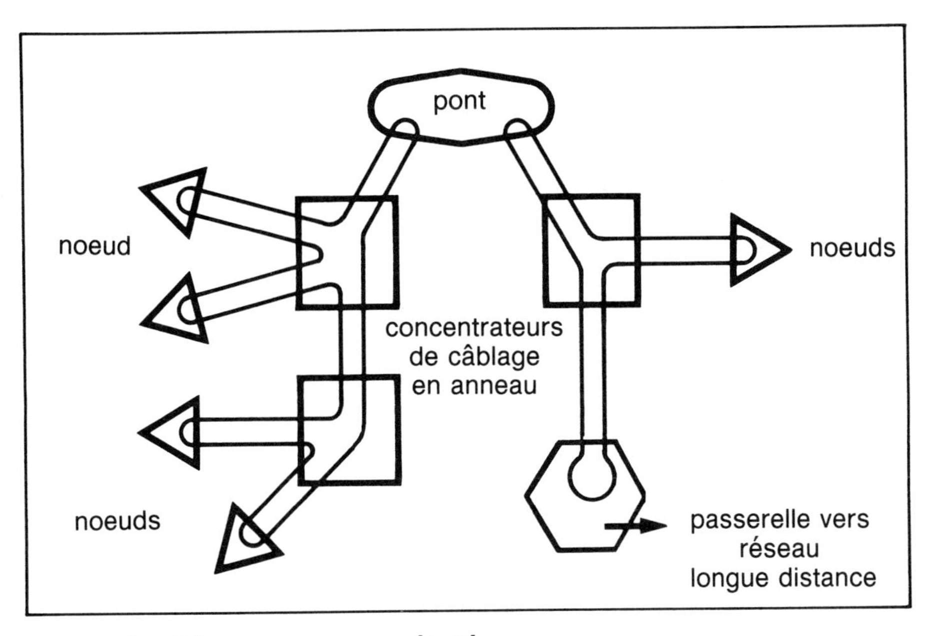

Figure 13. Réseau en anneau étoilé

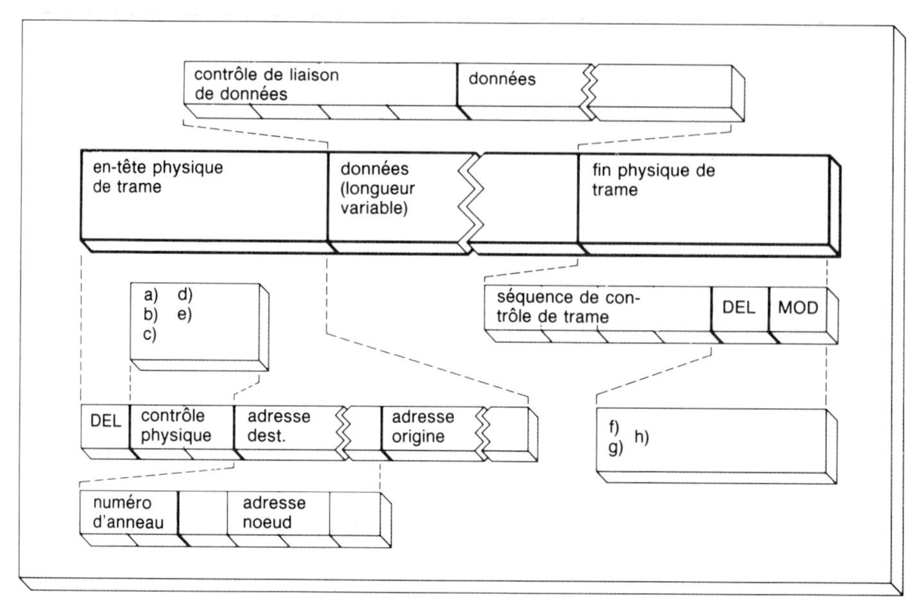

Figure 14. Structure de trame

a) priorité de jeton
b) jeton
c) comptage moniteur
d) réservation de priorité
e) structure de trame
f) bit indicateur de détection d'erreurs
g) bit indicateur de reconnaissance d'adresse
h) bit indicateur de copie de trame

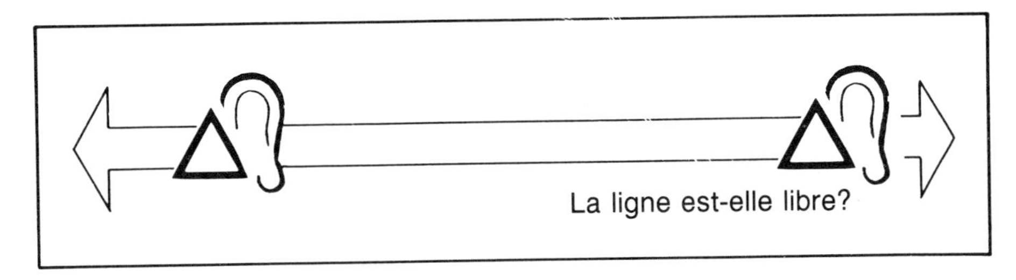

Figure 15. Méthode d'accès : CSMA (accès multiple avec écoute de porteuse)

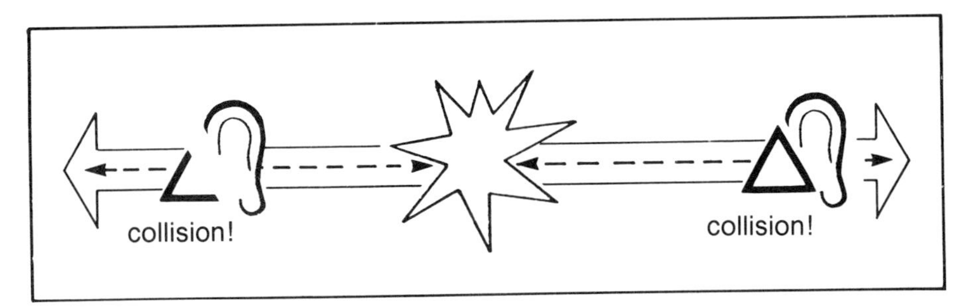

Figure 16. Méthode d'accès : CSMA/CD (accès multiple avec écoute de porteuse et détection de collisions)

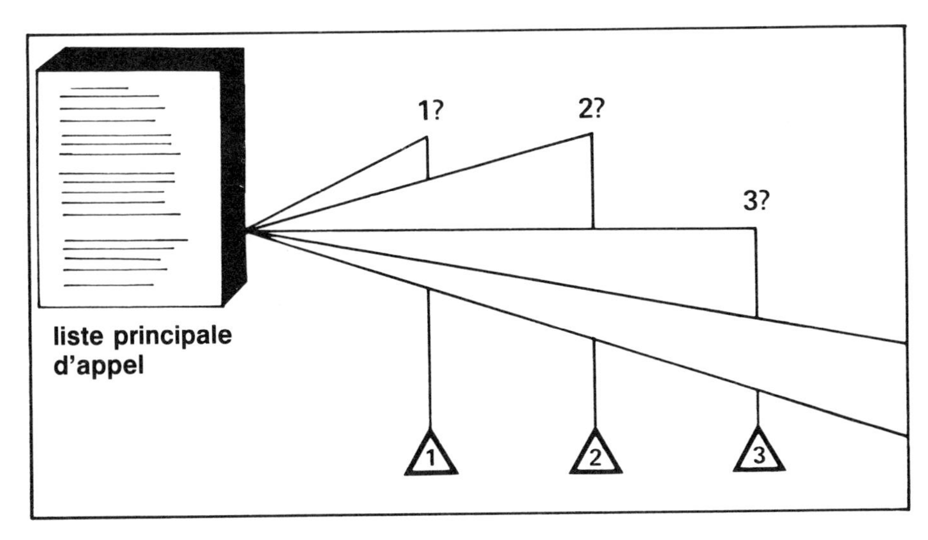

Figure 17. Méthode d'accès : appel sélectif

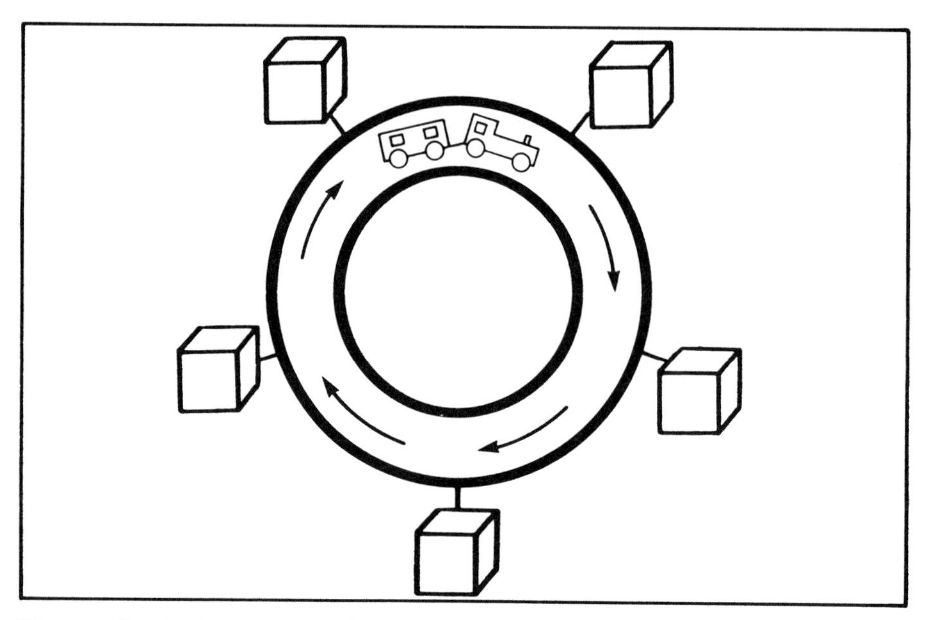

Figure 18. Méthode d'accès : passage de jeton sur anneau

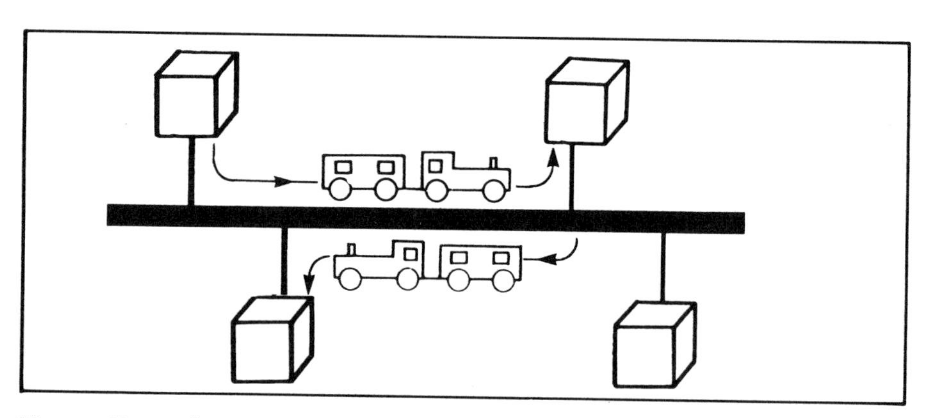

Figure 19. Méthode d'accès : passage de jeton sur bus

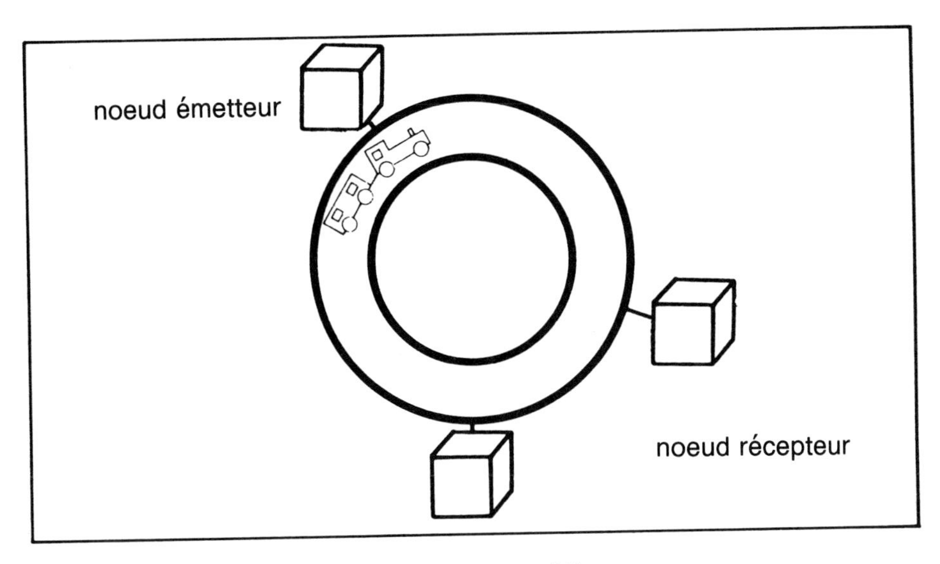

Figure 20. Passage de jeton sur anneau (1)
La station émettrice attend un jeton libre.

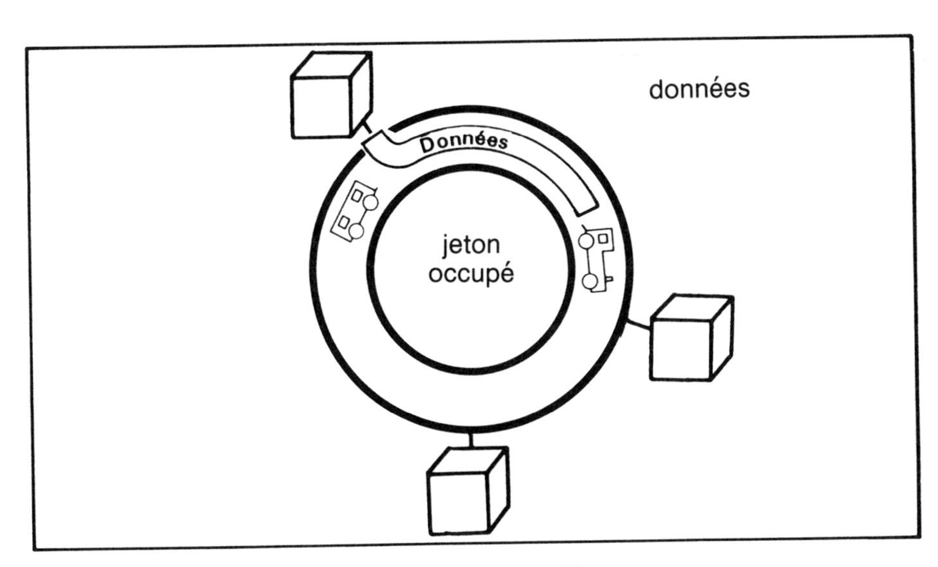

Figure 21. Passage de jeton sur anneau (2)
Le noeud émetteur transmet une trame comprenant le jeton.

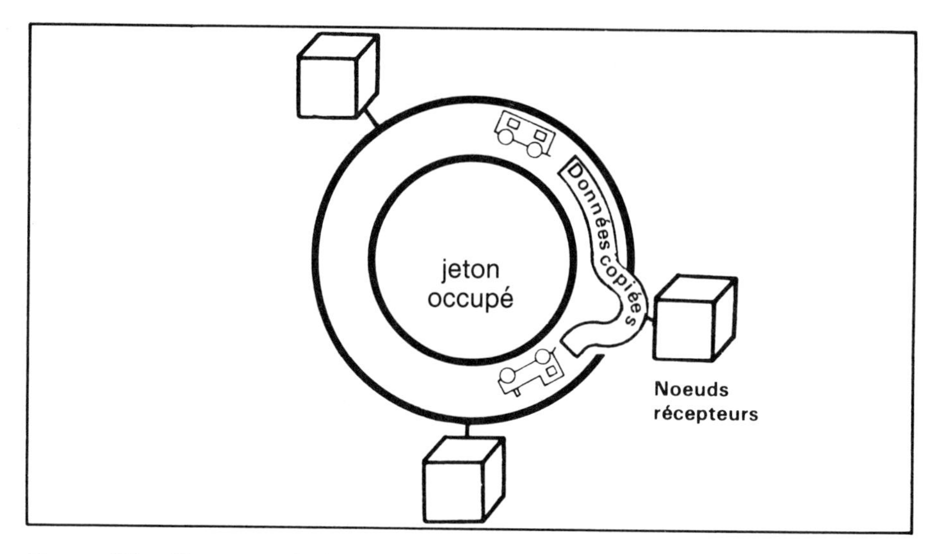

Figure 22. Passage de jeton sur anneau (3)
La station réceptrice copie les données et relaie la trame.

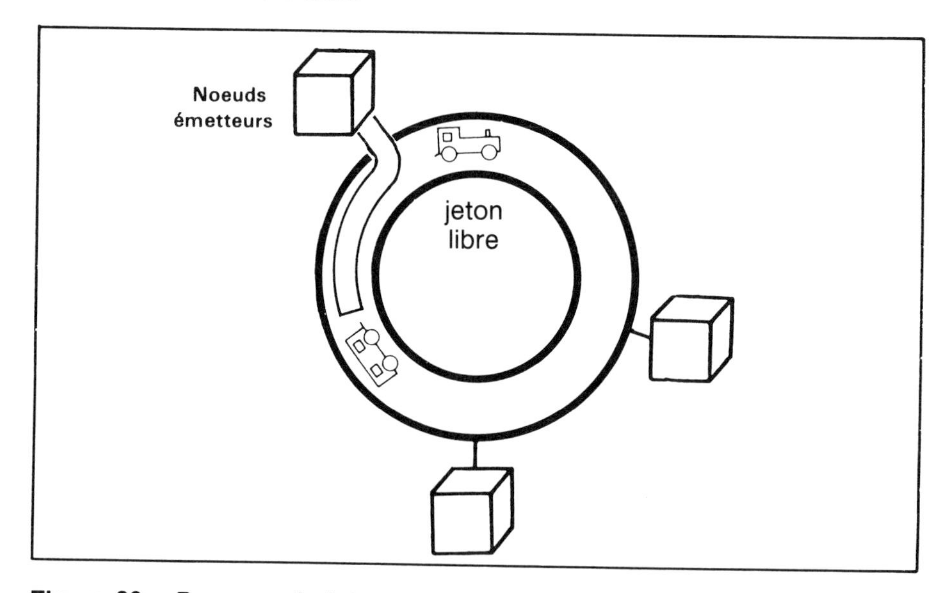

Figure 23. Passage de jeton sur anneau (4)
La station émettrice retire les données, remet le jeton à l'état libre et le transmet.

Lexique français-anglais

a

accès à la liaison	link access
accès à l'anneau à jeton	token ring access Syn. : *token access*
accès aléatoire (au réseau, p. ex.) Syn. : *accès probabiliste*	random access
accès au réseau	network access
accès contrôlé Syn. : *accès déterministe*	controlled access
accès CSMA	Voir *accès multiple avec écoute de porteuse*
accès CSMA/CA	Voir *accès multiple avec écoute de porteuse et évitement de collisions*
accès CSMA/CD	Voir *accès multiple avec écoute de porteuse et détection de collisions*
accès déterministe	Voir *accès contrôlé*
accès distribué	Voir *accès réparti*
accès d'utilisateur Syn. : *accès utilisateur-réseau* *accès réseau-utilisateur*	user access Syn. : *user-network access*
accès en parallèle Syn. : *accès simultané*	simultaneous access
accès multiple à répartition dans le temps Abrév. : *AMRT*	time division multiple access Abrév. : *TDMA*

accès multiple à répartition en fréquence Abrév. : *AMRF*	frequency division multiple access Abrév. : *FDMA*
accès multiple avec écoute de porteuse Abrév. : *CSMA* Syn. : *accès CSMA* **Voir figure 15**	carrier sense multiple access Abrév. : *CSMA*
accès multiple avec écoute de porteuse et évitement de collisions Abrév. : *CSMA/CA* Syn. : *accès CSMA/CA* **Voir figure 16**	carrier sense multiple access with collision avoidance Abrév. : *CSMA/CA* Syn. : *prioritized CSMA*
accès multiple avec écoute de porteuse et évitement de collisions Abrév. : *CSMA/CA* Syn. : *accès CSMA/CA*	carrier sense multiple access with collision avoidance Abrév. : *CSMA/CA* Syn. : *prioritized CSMA*
accès multipoint	multipoint access
accès non autorisé	unauthorized access
accès probabiliste	Voir *accès aléatoire*
accès réparti Syn. : *accès distribué*	distributed access
accès réseau-utilisateur	Voir *accès d'utilisateur*
accès simultané	Voir *accès en parallèle*
accès utilisateur-réseau	Voir *accès d'utilisateur*
accusé de réception	Voir *accusé de réception positif*
accusé de réception négatif	negative acknowledgment Abrév. : *NAK*
accusé de réception positif Syn. : *accusé de réception*	acknowledgment Abrév. : *ACK* Syn. : *confirmation of receipt*

acheminement Syn. : *routage*	routing
acheminement logique Syn. : *routage logique*	logical routing
adaptateur d'anneau	ring interface adapter Syn. : *ring adapter*
adaptateur de communication Syn. : *adaptateur de transmission*	communication adapter
adaptateur de transmission	Voir *adaptateur de communication*
adaptateur d'impédance	balun Syn. : *balun assembly* *balanced/unbalanced*
adressage explicite Syn. : *technique de jeton adressé*	explicit addressing
adressage implicite Syn. : *technique de jeton non adressé*	implicit addressing
adresse de destinataire	Voir *adresse de destination*
adresse de destination Syn. : *adresse destination* *adresse de destinataire* *adresse destinataire* **Voir figure 14**	destination address Abrév. : *DA*
adresse de noeud Syn. : *adresse noeud* **Voir figure 14**	node address
adresse de réseau Syn. : *adresse réseau*	network address
adresse destinataire	Voir *adresse de destination*
adresse destination	Voir *adresse de destination*

adresse d'expéditeur	Voir *adresse d'origine*
adresse d'origine Syn. : *adresse origine* *adresse d'expéditeur* *adresse expéditeur* **Voir figure 14**	source address Abrév. : *SA* Syn. : *origination address*
adresse expéditeur	Voir *adresse d'origine*
adresse noeud	Voir *adresse de noeud*
adresse origine	Voir *adresse d'origine*
adresse réseau	Voir *adresse de réseau*
affectation dynamique	Voir *allocation dynamique*
affectation statique	Voir *allocation statique*
ajournement	deference
algorithme de contrôle de trame	frame check algorithm
allocation dynamique Syn. : *réservation dynamique* *affectation dynamique*	dynamic allocation
allocation statique Syn. : *réservation statique* *affectation statique*	static allocation
Aloha	Voir *protocole Aloha pur*
Aloha à segmentation temporelle	Voir *protocole Aloha à segmentation temporelle*
Aloha pur	Voir *protocole Aloha pur*
AM	Voir *modulation d'amplitude*
amplificateur de ligne Syn. : *amplificateur de signal de ligne*	line amplifier
amplificateur de signal	signal amplifier

amplificateur de signal de ligne	Voir *amplificateur de ligne*
AMRF	Voir *accès multiple à répartition en fréquence*
AMRT	Voir *accès multiple à répartition dans le temps*
anneau	ring
anneau à découpage temporel	Voir *anneau à segmentation temporelle*
anneau à haute vitesse Syn. : *anneau haute vitesse*	high speed ring
anneau à insertion de registre	register insertion ring
anneau à jeton Syn. : *anneau à jeton circulant*	token ring Syn. : *token passing ring* *token controlled ring*
anneau à jeton à haute vitesse Syn. : *anneau à jeton haute vitesse*	high speed token ring
anneau à jeton circulant	Voir *anneau à jeton*
anneau à jeton haute vitesse	Voir *anneau à jeton à haute vitesse*
anneau à segmentation temporelle Syn. : *anneau à découpage temporel*	slotted ring
anneau central Syn. : *anneau d'interconnexion*	backbone ring Syn. : *central ring*
anneau central multipont Syn. : *anneau multipont* **Voir figure 12**	multiple bridge backbone ring Syn. : *multiple bridge ring*
anneau de Cambridge	Cambridge ring
anneau de Newhall	Newhall ring

anneau de secours	backup ring
anneau de Zurich	Zurich ring
anneau d'interconnexion	Voir *anneau central*
anneau en étoile	Voir *anneau étoilé*
anneau étoilé Syn. : *anneau en étoile*	star ring Syn. : *star wired ring*
anneau haute vitesse	Voir *anneau à haute vitesse*
anneau logique	logical ring
anneau multipont	Voir *anneau central multipont*
anneau physique	physical ring
anneau primaire Syn. : *anneau principal* **Voir figure 11**	primary ring Syn. : *principal ring* *main ring*
anneau principal	Voir *anneau primaire*
anneau secondaire **Voir figure 11**	secondary ring Syn. : *alternate ring*
antémémoire Syn. : *cache* *mémoire cache*	*cache* Syn. : *cache storage* *cache memory* *cache buffer*
appel	Voir *appel sélectif*
appel de fonctions	function call
appel par groupe	group polling Syn. : *group poll*
appel par liste	roll call polling Syn. : *roll call poll*

appel sélectif Syn. : *appel* *invitation à émettre* **Voir figure 17**	polling Syn. : *selective polling* *selective poll*
application d'utilisateur final	end user application
arborescence	Voir *arbre*
arbre Syn. : *arborescence*	tree
architecture	Voir *topologie*
architecture arborescente	Voir *topologie en arbre*
architecture centralisée Syn. : *structure centralisée*	centralized architecture
architecture décentralisée Syn. : *structure décentralisée*	decentralized architecture
architecture d'échange de documents Abrév. : *DIA*	Document Interchange Architecture Abrév. : *DIA*
architecture de communication Syn. : *architecture de transmission*	communication architecture Syn. : *transmission architecture*
architecture de contenu de documents Abrév. : *DCA*	Document Content Architecture Syn. : *DCA*
architecture de réseau	Voir *topologie de réseau*
architecture de réseau local	Voir *topologie de réseau local*
architecture de réseau local (spéc.)	local network architecture Abrév. : *LNA*
architecture de réseau local hybride	hybrid local network architecture
architecture de réseau ouvert Syn. : *architecture ouverte*	open network architecture Syn. : *open architecture*

architecture de systèmes ouverts Syn. : *architecture OSI*	open systems architecture Abrév. : *OSA*
architecture de transmission	Voir *architecture de communication*
architecture distribuée	Voir *architecture répartie*
architecture en anneau	Voir *topologie en anneau*
architecture en anneau à jeton	Voir *topologie en anneau à jeton*
architecture en anneau étoilé	Voir *topologie en anneau étoilé*
architecture en boucle	Voir *topologie en boucle*
architecture en bus	Voir *topologie en bus*
architecture en couches Syn. : *architecture structurée en couches*	layered architecture
architecture en étoile	Voir *topologie en étoile*
architecture OSI	Voir *architecture de systèmes ouverts*
architecture ouverte	Voir *architecture de réseau ouvert*
architecture physique	Voir *topologie physique*
architecture répartie Syn. : *structure répartie* *architecture distribuée* *structure distribuée*	distributed architecture
architecture structurée en couches	Voir *architecture en couches*
architecture unifiée de réseau Abrév. : *SNA*	Systems Network Architecture Abrév. : *SNA*
ARM	Voir *mode de réponse asynchrone*

Association de constructeurs européens de calculatrices électroniques Abrév. : *ECMA*	European Computer Manufacturers Association Abrév. : *ECMA*
autocommutateur privé Abrév. : *PBX* Syn. : *autocommutateur privé électronique*	private branch exchange Abrév. : *PBX* Syn. : *private automatic branch exchange* Abrév. : *PABX*
autocommutateur privé électronique	Voir *autocommutateur privé*
autocommutateur privé informatisé Abrév. : *CBX*	computerized branch exchange Abrév. : *CBX*

b

BAL	Voir *boîte aux lettres*
bande de base	baseband
bande de garde	guardband
base commune de données	common data base Abrév. : *CDB* Syn. : *shared data base*
bit d'accusé de réception	Voir *bit d'acccusé de réception positif*
bit d'accusé de réception positif Syn. : *bit d'accusé de réception*	acknowledgment bit
bit de comptage moniteur	Voir *bit indicateur de comptage moniteur*

bit de contrôle	check bit
bit de détection d'erreurs	Voir *bit indicateur de détection d'erreurs*
bit de parité	parity bit
bit de priorité	Voir *bit indicateur de priorité*
bit de réservation de priorité	Voir *bit indicateur de réservation de priorité*
bit indicateur Syn. : *indicateur*	indicator bit Syn. : *flag bit*
bit indicateur de comptage moniteur Syn. : *indicateur de comptage moniteur* *bit de comptage moniteur*	monitor count indicator bit Syn. : *monitor count bit* *monitor count flag*
bit indicateur de copie de trame Syn. : *indicateur de copie de trame* **Voir figure 14**	frame copied indicator bit Syn. : *frame copied indicator* *frame copied bit*
bit indicateur de détection d'erreurs Syn. : *indicateur de détection d'erreurs* *bit de détection d'erreurs* **Voir figure 14**	error detected indicator bit Syn. : *error detected indicator* *error detected bit* *error detected flag*
bit indicateur de jeton Syn. : *indicateur de jeton*	token indicator bit Syn. : *token indicator*
bit indicateur de priorité Syn. : *indicateur de priorité* *bit de priorité*	priority indicator bit Syn. : *priority bit*
bit indicateur de reconnaissance d'adresse Syn. : *indicateur de reconnaissance d'adresse* **Voir figure 14**	address recognized indicator bit Syn. : *address recognized indicator* *address recognized bit* *address recognized flag*

bit indicateur de réservation de priorité Syn. : *indicateur de réservation de priorité* *bit de réservation de priorité*	reservation indicator bit Syn. : *reservation indicator* *reservation bit*
bit indicateur plein-vide Syn. : *bit indicateur PV* *indicateur plein-vide* *indicateur PV*	full/empty indicator bit Syn. : *full/empty bit*
bit indicateur PV	Voir *bit indicateur plein-vide*
boîte aux lettres Abrév. : *BAL*	mailbox
bouclage	wrapping
boucle de communication multifonction	multiuse communication loop Abrév. : *MCL*
boucle de Pierce	Pierce loop
boucle fermée	closed loop Syn. : *closed path*
boucle logique	logical loop
boucle ouverte	open loop
boucle physique	physical loop
bourrage de bits	bit stuffing
bureautique	office automation
bus	bus
bus à jeton	token bus Syn. : *token passing bus*
bus à large bande Syn. : *bus large bande*	broadband bus
bus bande de base	Voir *bus en bande de base*

bus central	backbone bus
bus de données	data bus
bus en bande de base Syn. : *bus bande de base*	baseband bus
bus large bande	Voir *bus à large bande*

C

CA	Voir *contrôle d'accès*
câblage en annneau	ring wiring
câblage en anneau étoilé	star ring wiring
câblage en bus	bus wiring
câblage en étoile	star wiring
câblage en marguerite	Voir *chaînage d'unités en marguerite*
câble à fibres optiques **Voir figure 5**	Voir *câble optique*
câble à paire symétrique	Voir *câble à paire torsadée*
câble à paire torsadée Syn. : *câble à paire symétrique*	twisted pair cable
câble blindé Syn. : *câble protégé*	shielded cable
câble blindé de qualité données	shielded data grade cable
câble CATV	Voir *câble de télévision*

câble coaxial
Syn. : *coaxial* (n. m.)
Voir figure 4c

coaxial cable
Syn. : *coax cable*

câble coaxial à large bande
Syn. : *câble coaxial large bande*
coaxial à large bande
coaxial large bande
Voir figure 4d

broadband coaxial cable
Syn. : *broadband coax cable*

câble coaxial bande de base

Voir *câble coaxial en bande de base*

câble coaxial en bande de base
Syn. : *câble coaxial bande de base*
coaxial en bande de base
coaxial bande de base

baseband coaxial cable
Syn. : *baseband coax cable*

câble coaxial large bande

Voir *câble coaxial à large bande*

câble de qualité données

data grade cable

câble de qualité téléphonique
Syn. : *câble de qualité voix*

voice grade cable

câble de qualité voix

Voir *câble de qualité téléphonique*

câble de télévision
Syn. : *câble CATV*

CATV cable

câble non blindé
Syn. : *câble non protégé*

unshielded cable

câble non protégé

Voir *câble non blindé*

câble optique
Syn. : *câble à fibres optiques*
Voir figure 5

fiber optic cable
Syn. : *optical fiber cable*

câble protégé

Voir *câble blindé*

câble triaxial

tri-axial cable

câble twinax

Voir *câble twinaxial*

câble twinaxial Syn. : *câble twinax* **Voir figure 4a**	twinaxial cable Syn. : *twinax cable*
câblodistribution Syn. : *télédistribution (français universel)*	cable television Syn. : *community antenna television* Abrév. : *CATV*
cache	Voir *antémémoire*
capacité	Voir *débit maximum*
carte adaptateur Syn. : *carte d'adaptation*	adapter card
carte d'adaptation	Voir *carte adaptateur*
carte de réseau local	network adapter card
carte de réseau local PC IBM	IBM PC Network Adapter
carte passerelle	gateway card
carte PC de réseau en anneau à jeton	token ring network PC adapter Syn. : *PC token ring adapter card*
carte PC de réseau en anneau à jeton IBM	IBM Token Ring Network PC Adapter Syn. : *IBM PC Token Ring Adapter Card*
cascade	cascade
CBX	Voir *autocommutateur privé informatisé*
CCITT	Voir *Comité consultatif international télégraphique et téléphonique*
centre de contrôle de réseau	network control center Abrév. : *NCC*

chaînage d'unités en marguerite Syn. : *câblage en marguerite*	daisy chaining
champ adresse	Voir *zone d'adresse*
champ adresse destinataire	Voir *zone adresse destination*
champ adresse destination	Voir *zone adresse destination*
champ adresse expéditeur	Voir *zone adresse origine*
champ adresse origine	Voir *zone adresse origine*
champ CRC	Voir *zone CRC*
champ d'adresse	Voir *zone d'adresse*
champ de commande	Voir *zone de contrôle*
champ de contrôle physique	Voir *zone de contrôle physique*
champ de données	Voir *zone de données*
champ de priorité de jeton	Voir *zone de priorité de jeton*
champ de réservation	Voir *zone de réservation*
champ d'informations	Voir *zone de données*
champ modificateur	Voir *zone modificatrice*
champ SCT	Voir *zone SCT*
chemin d'accès	access path
chiffrement	Voir *chiffrement de données*
chiffrement de données Syn. : *chiffrement* *cryptage*	data encryption Syn. : *encryption*
CICS	Voir *système de contrôle de l'information*
circuit de données	data circuit

circulation de jeton	Voir *passage de jeton*
coaxial	Voir *câble coaxial*
coaxial à large bande	Voir *câble coaxial à large bande*
coaxial bande de base	Voir *câble coaxial en bande de base*
coaxial en bande de base	Voir *câble coaxial en bande de base*
coaxial large bande	Voir *câble coaxial à large bande*
codage Manchester	Manchester encoding Syn. : *Manchester phase encoding*
codage Manchester différentiel	differential Manchester encoding
codec	Voir *codeur-décodeur*
code détecteur	Voir *code détecteur d'erreurs*
code détecteur d'erreurs Syn. : *code détecteur*	error detecting code
code Manchester	Manchester code
code Manchester différentiel Syn. : *Manchester différentiel*	differential Manchester code Syn. : *differential Manchester*
codeur-décodeur Syn. : *codec*	coder-decoder Syn. : *codec*
collision (de jetons, de trames, de messages, p. ex.) **Voir figure 16**	collision
collision logique	logical collision
Comité consultatif international télégraphique et téléphonique Abrév. : *CCITT*	International Telegraph and Telephone Consultative Committee Abrév. : *CCITT*

commande d'accès au support	Voir *contrôle d'accès au support*
commande de liaison de données	Voir *contrôle de liaison de données*
commande de liaison logique	Voir *contrôle de liaison logique*
communicateur	Voir *communicateur de réseau*
communicateur	Voir *contrôleur de communication*
communicateur de réseau Syn. : *communicateur*	network communication unit Syn. : *NCU*
communicateur de réseau local	Voir *contrôleur de réseau local*
communication à haute vitesse Syn. : *communication haute vitesse* *transmission à haute vitesse* *transmission haute vitesse*	high speed communication Syn. : *high speed transmission*
communication asynchrone Syn. : *transmission asynchrone*	asynchronous communication Syn. : *asynchronous transmission*
communication bidirectionnelle Syn. : *transmission bidirectionnelle*	bidirectional communication Syn. : *bidirectional transmission*
communication de diffusion	broadcast communication
communication de données Syn. : *transmission de données*	data communication Syn. : *data transmission*
communication d'égal à égal	peer-to-peer communication
communication d'entreprise	enterprise communication
communication d'établissement	establishment communication
communication haute vitesse	Voir *communication à haute vitesse*

communication locale	local area communication
communication locale de données	local data communication
communication multipoint Syn. : *transmission multipoint*	multipoint communication Syn. : *multipoint transmission*
communication point à point Syn. : *transmission point à point*	point-to-point communication Syn. : *point-to-point transmission*
communication synchrone Syn. : *transmission synchrone*	synchronous communication Syn. : *synchronous transmission*
communication unidirectionnelle Syn. : *transmission unidirectionnelle*	unidirectional communication Syn. : *unidirectional transmission*
communication voix-données Syn. : *transmission voix-données*	voice/data communication Syn. : *voice/data transmission*
commutateur numérique à haute vitesse Syn. : *commutateur numérique haute vitesse*	high speed digital switch
commutateur numérique haute vitesse	Voir *commutateur numérique à haute vitesse*
commutation de circuits	circuit switching
commutation de messages	message switching
commutation de paquets	packet switching
commutation spatiale	space division switching
commutation temporelle	time division switching
comptage moniteur **Voir figure 14**	monitor count
concentrateur de câblage **Voir figure 11**	wiring concentrator

concentrateur de câblage en anneau **Voir figure 13**	ring wiring concentrator
configuration de communication	communication configuration
configuration de connexion	connection configuration
configuration de réseau	network configuration
configuration de réseau en anneau Syn. : *configuration en anneau*	ring network configuration Syn. : *ring configuration*
configuration de réseau en bus Syn. : *configuration en bus*	bus network configuration Syn. : *bus configuration*
configuration de réseau en étoile Syn. : *configuration en étoile*	star network configuration Syn. : *star configuration*
configuration en anneau	Voir *configuration de réseau en anneau*
configuration en bus	Voir *configuration de réseau en bus*
configuration en étoile	Voir *configuration de réseau en étoile*
configuration hiérarchique	hierarchical configuration
conflit (situation) Syn. : *conflit d'accès* *conflit d'utilisation*	contention Syn. : *access contention*
conflit d'accès	Voir *conflit*
conflit d'utilisation	Voir *conflit*
connectabilité de terminal	terminal connectivity
connectabilité d'ordinateur hôte	host connectivity
connectabilité d'ordinateur hôte distant	remote host connectivity

connectabilité d'ordinateur hôte local	local host connectivity
connectabilité (matériel)	connectivity
connectivité de bout en bout	end-to-end connectivity
connectivité logique	logical connectivity
connectivité multipoint	multipoint connectivity
connectivité point à point	point-to-point connectivity
connectivité (réseau)	connectivity
connectivité totale	full connectivity
connexion à l'anneau	ring attachment
connexion au support physique Syn. : *raccordement au support physique*	physical medium attachment Abrév. : *PMA*
connexion commutée	switched connection
connexion de ligne	line attachment
connexion de réseaux	networking
connexion de réseaux d'ordinateurs	Voir *connexion de réseaux informatiques*
connexion de réseaux informatiques Syn. : *connexion de réseaux d'ordinateurs*	computer networking
connexion de réseaux locaux	local networking Syn. : *local area networking*
connexion logique	logical connection Syn. : *logical link connection*
connexion multipoint	multipoint connection
connexion non commutée	nonswitched connection

connexion passive Syn. : *jonction passive*	passive connection
connexion physique	physical connection
connexion point à point	point-to-point connection
contention	Voir *méthode par contention*
contournement (de point de panne, p. ex.) Syn. : *court-circuit*	bypass
contournement de lobe Syn. : *court-circuit de lobe* *évitement de lobe*	lobe bypass
contrôle central	central control
contrôle centralisé	centralized control
contrôle d'accès Abrév. : *CA*	access control Abrév. : *AC*
contrôle d'accès au jeton	token access control
contrôle d'accès au support Abrév. : *MAC* Syn. : *commande d'accès au support*	medium access control Abrév. : *MAC*
contrôle décentralisé	decentralized control
contrôle de flux	flow control
contrôle de flux de données Syn. : *contrôle de flux d'informations*	data flow control Abrév. : *DFC*
contrôle de flux d'informations	Voir *contrôle de flux de données*
contrôle de liaison de données Syn. : *commande de liaison de données* **Voir figure 14**	data link control Abrév. : *DLC*

contrôle de liaison logique Abrév. : *LLC* Syn. : *commande de liaison logique*	logical link control Abrév. : *LLC*
contrôle de redondance cyclique Abrév. : *CRC*	cyclic redundancy check Abrév. : *CRC* Syn. : *cyclic redundancy checksum*
contrôle de réseau	network control
contrôle d'erreurs	error control Syn. : *error checking*
contrôle distribué	Voir *contrôle réparti*
contrôle physique **Voir figure 14**	physical control
contrôle réparti Syn. : *contrôle distribué*	distributed control Syn. : *distributed access control*
contrôleur central	central controller
contrôleur de communication Syn. : *communicateur* *contrôleur de transmission*	communication control unit Syn. : *transmission control unit* *communication controller*
contrôleur de grappes Syn. : *unité de contrôle de grappes* Abrév. : *UCG*	cluster controller Syn. : *clustered controller*
contrôleur de réseau	network controller
contrôleur de réseau local Syn. : *communicateur de réseau local*	LAN controller
contrôleur de transmission	Voir *contrôleur de communication*
contrôleur d'interface	Voir *transporteur*
conversion de protocole	protocol conversion

convertisseur de fréquences	frequency converter Syn. : *frequency translator*
convertisseur de protocole	protocol converter
couche Syn. : *niveau*	layer Syn. : *level*
couche application	application layer
couche de plus bas niveau	Voir *couche inférieure*
couche de plus haut niveau	Voir *couche supérieure*
couche homologue Syn. : *entité homologue*	peer layer
couche inférieure Syn. : *couche de plus bas niveau*	lower layer Syn. : *lower level*
couche ISO	ISO layer
couche liaison de données	data link layer Syn. : *data link level*
couche logicielle	software layer
couche logique	logical layer Syn. : *logical level*
couche MAC	Voir *sous-couche MAC*
couche OSI	OSI layer
couche physique	physical layer Syn. : *physical level*
couche présentation	presentation layer
couche réseau	network layer
couche session	session layer
couche supérieure Syn. : *couche de plus haut niveau*	higher layer Syn. : *higher level*

couche transport	transport layer
couplage intersystème	intersystem coupling Syn. : *inter-systems coupling*
coupleur	splitter
coupleur d'interface d'anneau à jeton Abrév. : *TIC*	token ring interface coupler Abrév. : *TIC*
court-circuit	Voir *contournement*
court-circuit de lobe	Voir *contournement de lobe*
couverture géographique Syn. : *couverture spatiale* *étendue géographique*	geographic scope Syn. : *geographic coverage* *geographical dispersion*
couverture spatiale	Voir *couverture géographique*
CRC	Voir *contrôle de redondance cyclique*
cryptage	Voir *chiffrement de données*
CSMA	Voir *accès multiple avec écoute de porteuse*
CSMA/CA	Voir *accès multiple avec écoute de porteuse et évitement de collisions*
CSMA/CD	Voir *accès multiple avec écoute de porteuse et détection de collisions*
CSMA non persistant	nonpersistent CSMA
CSMA persistant	persistent CSMA

d

datagramme (paquet)	datagram
datagramme (service) Abrév. : *DG* Syn. : *service datagramme*	datagram Syn. : *datagram service*
DCA	Voir *architecture de contenu de documents*
débit de transmission	transmission rate
débit maximum Syn. : *capacité*	throughput
DEL	Voir *délimiteur*
délai aléatoire	random delay
délai d'attente Syn. : *délai de garde*	timeout
délai de garde	Voir *délai d'attente*
délai de propagation	propagation delay Syn. : *maximum propagation time*
délimiteur Abrév. : *DEL* Syn. : *séparateur* **Voir figure 14**	delimiter Abrév. : *DEL* Syn. : *separator*
délimiteur de début de trame	starting delimiter Abrév. : *SD* Syn. : *starting frame delimiter* Abrév. : *SFD*

délimiteur de fin de trame	ending delimiter Abrév. : *ED* Syn. : *ending frame delimiter* *end delimiter*
délimiteur de trame	frame delimiter
demande de retrait (de station, p. ex.)	remove request
demande d'insertion (de station, p. ex.)	insert request
demande d'insertion et de retrait (de station, p. ex.)	insert/remove request
démultiplexage de connexions	demultiplexing
destinataire (personne)	receiver Syn. : *recipient* *addressee* *target*
détection de collisions	collision detection Syn. : *collision detect*
détection de dérangements	Voir *détection d'incidents*
détection de porteuse	Voir *écoute de porteuse*
détection d'erreurs	error detection
détection d'erreurs et d'incidents	error and fault detection
détection d'incidents Syn. : *détection de dérangements*	fault detection
détection d'incidents permanents	hard fault detection
détection d'incidents sur liaison	link fault detection
détection d'incidents temporaires	soft fault detection
détection et correction d'erreurs	error detection and correction

détection et localisation de dérangements	Voir *détection et localisation d'incidents*
détection et localisation d'erreurs	error detection and isolation
détection et localisation d'incidents Syn. : *détection et localisation de dérangements*	fault detection and isolation
DG	Voir *datagramme*
DIA	Voir *architecture d'échange de documents*
diffusion	broadcast
diffusion générale sur réseau local	Voir *diffusion sur réseau local*
diffusion sélective sur réseau local	Voir *multidiffusion sur réseau local*
diffusion sur réseau local Syn. : *diffusion générale sur réseau local*	LAN broadcast
disponibilité	availability
dispositif d'accès au réseau	network access device Abrév. : *NAD*
dispositif de connexion à l'anneau	ring attachment
dispositif de connexion de ligne	line attachment
dispositif de connexion ligne-anneau Abrév. : *LAB*	line and token ring attachment base Abrév. : *LAB*
dispositif de terminaison Syn. : *terminateur*	terminator Syn. : *termination unit*
données de service Syn. : *informations de service*	control data Syn. : *service data*

données d'utilisateur	user data
données partagées	shared data Syn. : *shared information*
durée de tranche Syn. : *période élémentaire*	slot time

e

éclatement	Voir *éclatement de connexions*
éclatement de connexions Syn. : *éclatement*	downward multiplexing Syn. : *splitting*
ECMA	Voir *Association de constructeurs européens de calculatrices électroniques*
écoute de porteuse Syn. : *détection de porteuse*	carrier sensing Syn. : *carrier sense*
élément actif	active element
élément passif	passive element
élimination (d'informations, p. ex.)	purge (n.)
éliminer (les informations, p. ex.)	purge (v.)
emballage de données	Voir *encapsulation de données*
émetteur (matériel)	sender Syn. : *originator*
encapsulage de données	Voir *encapsulation de données*
encapsulation de données Syn. : *encapsulage de données* *emballage de données*	data encapsulation

enregistrement en modulation de phase	Voir *enregistrement par modulation de phase*
enregistrement par modulation de phase Syn.: *enregistrement en modulation de phase*	phase modulation recording Syn. : *phase encoding* Abrév. : *PE* Syn. : *phase encoded recording*
en-tête (de trame, p. ex.) Syn. : *fanion de début* *fanion de tête*	header
en-tête de transmission	transmission header
en-tête physique (de trame, p. ex.) **Voir figure 14**	physical header
entité	entity
entité homologue	Voir *couche homologue*
entreprise de télécommunications Syn. : *transporteur*	communication common carrier Syn. : *common carrier*
équipement de terminaison de circuit de données	Voir *terminaison de circuit de données*
équipement hétérogène	Voir *machine hétérogène*
équipement terminal de traitement de données	Voir *terminal de données*
erreur de transmission	transmission error
établissement de connexion	connection establishment
état de jeton	token status
état de réseau	network status
état d'imprimante	printer status
état libre	free state
état occupé	busy state

ETCD	Voir *terminaison de circuit de données*
étendue géographique	Voir *couverture géographique*
Ethernet	Voir *réseau Ethernet*
étoile	star
étoile physique	physical star
ETTD	Voir *terminal de données*
évitement de collisions Syn. : *résolution de collisions*	collision avoidance
évitement de lobe	Voir *contournement de lobe*
expéditeur (personne)	sender Syn. : *originator*
extrémité de connexion	Voir *point d'extrémité de connexion*

f

fanion	Voir *indicateur*
fanion de début	Voir *en-tête*
fanion de fin	Voir *fin*
fanion de queue	Voir *fin*
fanion de tête	Voir *en-tête*
fiabilité	reliability
fibre optique	optical fiber

filtrage d'adresse
Syn. : *filtrage d'adresse de destination*

address filtering
Syn. : *filter function*

filtrage d'adresse de destination

Voir *filtrage d'adresse*

filtre

filter

fin (de trame, p. ex.)
Syn. : *fanion de fin*
fanion de queue

trailer

fin de transmission

transmission trailer

fin physique (de trame, p. ex.)
Syn. : *remorque physique*
Voir figure 14

physical trailer

flexibilité

flexibility

flux de données
Syn. : *flux d'informations*
flux informationnel

data flow

flux d'informations

Voir *flux de données*

flux informationnel

Voir *flux de données*

fonction frontière

boundary function

fonction intermédiaire

intermediate function

format de trame

Voir *structure de trame*

format de trame d'information

Voir *structure de trame d'information*

g

génération de jeton

Voir *génération de jeton libre*

génération de jeton libre Syn. : *génération de jeton*	free token generation Syn. : *token generation*
gestion de couches	layer management
gestion de fonctions	function management Abrév. : *FM*
gestion de réseau	network management
gestionnaire de noeud	node manager
gestionnaire de réseau	network manager
gestionnaire de réseau en anneau à jeton	token ring network manager
grand réseau	Voir *réseau longue distance*

h

hétérogénéité	heterogeneity
homogénéité	homogeneity
hôte	Voir *ordinateur hôte*

i

IEEE (seul équivalent utilisé en français)	Institute of Electrical and Electronic Engineers Abrév. : *IEEE*
impasse (situation de conflit) Syn. : *interblocage*	deadlock Syn. : *interlock*

incident permanent	hard fault Syn. : *hard failure*
incident réseau	network fault
incident temporaire	soft fault Syn. : *soft failure*
indicateur Syn. : *fanion*	flag
indicateur	Voir *bit indicateur*
indicateur de comptage moniteur	Voir *bit indicateur de comptage moniteur*
indicateur de copie de trame	Voir *bit indicateur de copie de trame*
indicateur de détection d'erreurs	Voir *bit indicateur de détection d'erreurs*
indicateur de jeton	Voir *bit indicateur de jeton*
indicateur de priorité	Voir *bit indicateur de priorité*
indicateur de reconnaissance d'adresse	Voir *bit indicateur de reconnaissance d'adresse*
indicateur de réservation de priorité	Voir *bit indicateur de réservation de priorité*
indicateur plein-vide	Voir *bit indicateur plein-vide*
indicateur PV	Voir *bit indicateur plein-vide*
informations de service	Voir *données de service*
informatique individuelle	personal computing
informatique répartie Syn. : *traitement réparti* **Voir figure 1**	distributed data processing Abrév. : *DDP* Syn. : *distributed processing*
initialisation d'anneau	ring initialization

initialisation d'anneau logique	logical ring initialization
insertion de registre	register insertion Syn. : *buffer insertion*
intégration voix-données	voice/data integration
intégrité de données	data integrity
interblocage	Voir *impasse*
intercommunication	intercommunication
interconnectabilité (matériel)	interconnectivity
interconnectabilité de réseaux	network interconnectivity
interconnectivité (réseau)	interconnectivity
interconnectivité de réseau (caractéristique)	network interconnectivity
interconnexion	interconnection
interconnexion de réseaux	internetworking Syn. : *internetting*
interconnexion de systèmes ouverts Abrév. : *OSI*	Open Systems Interconnection Abrév. : *OSI*
interfaçage	interfacing
interface de connexion de station Syn. : *interface de raccordement de station*	attachment unit interface Abrév. : *AUI*
interface dépendant du support	medium dependent interface Abrév. : *MDI*
interface de raccordement de station	Voir *interface de connexion de station*
interface de réseau en anneau à jeton	token ring network interface

interface d'interconnexion	interconnection interface
interface NETBIOS	Voir *NETBIOS*
interface physique	physical interface
interface réseau	network interface
interfonctionnement	interworking
intervalle de temps	Voir *tranche de temps*
intervalle de temps déterminé	set time interval Syn. : *predetermined time interval* *periodic time interval*
intervalle de temps plein	Voir *tranche pleine*
intervalle de temps vide	Voir *tranche vide*
invitation à émettre	Voir *appel sélectif*
IP	Voir *protocole Internet*
ISO	Voir *Organisation internationale de normalisation*

j

jeton **Voir figure 14**	token
jeton adressé	explicit token
jeton circulant	Voir *jeton en circulation*
jeton de contrôle	control token
jeton en circulation Syn. : *jeton circulant*	circulating token

jeton fou	Voir *jeton occupé en circulation*
jeton libre **Voir figure 20**	free token
jeton libre en circulation	circulating free token
jeton non adressé	implicit token
jeton occupé **Voir figure 21**	busy token
jeton occupé en circulation Syn. : *jeton fou*	circulating busy token
jeton perdu	lost token
jeton sur anneau	Voir *passage de jeton sur anneau*
jeton sur bus	Voir *passage de jeton sur bus*
jonction passive	Voir *connexion passive*

I

LAB	Voir *dispositif de connexion ligne-anneau*
largeur de bande	bandwidth
liaison à accès partagé	shared access link
liaison à haute vitesse Syn. : *liaison haute vitesse*	high speed link
liaison bidirectionnelle Syn. : *liaison bilatérale*	bidirectional communication link Syn. : *bidirectional transmission link*

liaison bilatérale	Voir *liaison bidirectionnelle*
liaison d'accès	access link
liaison de données	data link Syn. : *communication link*
liaison de données à basse vitesse Syn. : *liaison de données basse vitesse*	low speed data link
liaison de données à haute vitesse Syn. : *liaison de données haute vitesse*	high speed data link
liaison de données basse vitesse	Voir *liaison de données à basse vitesse*
liaison de données haute vitesse	Voir *liaison de données à haute vitesse*
liaison d'entreprise	enterprise communication link
liaison d'établissement	establishment communication link
liaison d'interconnexion	interconnection link
liaison haute vitesse	Voir *liaison à haute vitesse*
liaison logique	logical link
liaison multipoint	multipoint link
liaison parallèle	parallel link
liaison physique	physical link Syn. : *physical interconnection link*
liaison point à point	point-to-point link
liaison série	serial link

liaison unidirectionnelle Syn. : *liaison unilatérale*	unidirectional communication link Syn. : *unidirectional transmission link*
liaison unilatérale	Voir *liaison unidirectionnelle*
ligne multipoint	multipoint line
ligne point à point	point-to-point line
liste d'appel Syn. : *liste d'invitation à émettre*	polling list Syn. : *poll list*
liste d'invitation à émettre	Voir *liste d'appel*
liste principale d'appel Syn. : *liste principale d'invitation à émettre* **Voir figure 17**	master polling list Syn. : *master poll list*
liste principale d'invitation à émettre	Voir *liste principale d'appel*
LLC	Voir *contrôle de liaison logique*
LLC type 1	LLC type 1
LLC type 2	LLC type 2
lobe	lobe
lobe de poste de travail	Voir *lobe de station de travail*
lobe de station de travail Syn. : *lobe de poste de travail*	workstation lobe
localisation de dérangements	Voir *localisation d'incidents*
localisation d'incidents Syn. : *localisation de dérangements*	fault isolation
logiciel OSI	OSI software

MA — Voir *modulation d'amplitude*

MAC — Voir *contrôle d'accès au support*

machine hétérogène — heterogeneous machine
Syn. : *équipement hétérogène*

Manchester différentiel — Voir *code Manchester différentiel*

MAU — Voir *unité d'accès multistation*

MDA — Voir *modulation par déplacement d'amplitude*

MDF — Voir *modulation par déplacement de fréquence*

MDP — Voir *modulation par déplacement de phase*

mécanisme d'accès prioritaire — Voir *mécanisme de priorité*

mécanisme de détection de dérangements — Voir *mécanisme de détection d'incidents*

mécanisme de détection d'incidents — fault detection mechanism
Syn. : *mécanisme de détection de dérangements*

mécanisme de priorité — priority mechanism
Syn. : *mécanisme d'accès prioritaire*

mémoire cache — Voir *cache*

méthode d'accès — access method
Syn. : *technique d'accès*
Voir figures 15, 16 et 17
Abrév. : *AM*
Syn. : *access technique*
access mechanism

méthode d'accès à contrôle centralisé Syn. : *méthode d'accès centralisé*	centralized control access method Syn. : *centralized access method* *centralized control access mechanism*
méthode d'accès à l'anneau Syn. : *technique d'accès à l'anneau*	ring access method Syn. : *ring access technique*
méthode d'accès à l'anneau à jeton Syn. : *technique d'accès à l'anneau à jeton*	token ring method Syn. : *token ring technique*
méthode d'accès aléatoire Syn. : *méthode d'accès probabiliste*	random access method Syn. : *random access technique*
méthode d'accès au jeton	Voir *méthode de contrôle d'accès au jeton*
méthode d'accès centralisé	Voir *méthode d'accès à contrôle centralisé*
méthode d'accès contrôlé	controlled access method
méthode d'accès de base	basic access method
méthode d'accès distribué	Voir *méthode d'accès réparti*
méthode d'accès probabiliste	Voir *méthode d'accès aléatoire*
méthode d'accès réparti Syn. : *méthode d'accès distribué*	distributed access method Syn. : *distributed control access method*
méthode de contrôle d'accès Syn. : *technique de contrôle d'accès*	access control method Syn. : *access control technique* *access control mechanism*
méthode de contrôle d'accès au jeton Syn. : *méthode d'accès au jeton*	token access control method Syn. : *token access control mechanism*

méthode de la tranche vide	Voir *méthode de segmentation temporelle*
méthode de réservation centralisée	centralized reservation method
méthode de réservation répartie	distributed reservation method
méthode de segmentation temporelle Syn. : *technique de segmentation temporelle* *méthode de la tranche vide* *technique de la tranche vide*	slotted ring method Syn. : *slotted ring technique*
méthode par contention Syn. : *contention*	contention method Syn. : *contention technique*
MIC	Voir *modulation par impulsions et codage*
MOD	Voir *zone modificatrice*
mode ARM	Voir *mode de réponse asynchrone*
mode asynchrone équilibré Syn. : *mode asynchrone symétrique*	asynchronous balanced mode Abrév. : *ABM* Syn. : *set asynchronous balanced mode* Abrév. : *SABM*
mode asynchrone symétrique	Voir *mode asynchrone équilibré*
mode de priorité	priority mode
mode de priorité voix	voice priority mode
mode de réponse asynchrone Abrév. : *ARM* Syn. : *mode de réponse autonome* *mode ARM*	asynchronous response mode Abrév. : *ARM* Syn. : *set asynchronous response mode* Abrév. : *SARM*

mode de réponse autonome	Voir *mode de réponse asynchrone*
mode de réponse normal Abrév. : *NRM* Syn. : *mode NRM*	normal response mode Abrév. : *NRM* Syn. : *set normal response mode* Abrév. : *SNRM*
modèle d'architecture	architecture model Syn. : *architecture reference model*
modèle d'architecture en couches	layered communication architecture model
modèle de référence à sept couches	seven layer reference model
modèle de référence de protocoles	protocol reference model
modèle de référence ISO	Voir *modèle de référence ISO/OSI*
modèle de référence ISO/OSI Syn. : *modèle de référence ISO* *modèle ISO d'interconnexion de systèmes ouverts*	ISO/OSI reference model Syn. : *ISO reference model*
modèle de référence multicouche	multiple layer reference model
modèle de référence OSI Syn. : *modèle OSI*	OSI reference model Syn. : *OSI model*
modèle ISO d'interconnexion de systèmes ouverts	Voir *modèle de référence ISO/OSI*
modèle OSI	Voir *modèle de référence OSI*
modem à haute vitesse Syn. : *modem haute vitesse*	high speed modem
modem dynamique en fréquence	frequency agile modem
modem haute vitesse	Voir *modem à haute vitesse*

mode NRM	Voir *mode de réponse normal*
modulation à saut d'amplitude	Voir *modulation par déplacement d'amplitude*
modulation d'amplitude Abrév. : *MA; AM*	amplitude modulation Abrév. : *AM*
modulation de phase	phase modulation Abrév. : *PM*
modulation de phase bande de base	Voir *modulation de phase en bande de base*
modulation de phase en bande de base Syn. : *modulation de phase bande de base*	baseband phase modulation
modulation par déplacement d'amplitude Abrév. : *MDA* Syn. : *modulation à saut d'amplitude*	amplitude shift keying Abrév. : *ASK*
modulation par déplacement de fréquence Abrév. : *MDF* Syn. : *modulation par saut de fréquence*	frequency shift keying Abrév. : *FSK* Syn. : *frequency shift key modulation* *FSK modulation*
modulation par déplacement de phase Abrév. : *MDP* Syn. : *modulation par inversion de phase*	phase shift keying Abrév. : *PSK*
modulation par impulsions et codage Abrév. : *MIC*	pulse code modulation Abrév. : *PCM*
modulation par inversion de phase	Voir *modulation par déplacement de phase*
modulation par saut de fréquence	Voir *modulation par déplacement de fréquence*

moniteur actif Syn. : *moniteur de service*	active monitor Syn. : *active token monitor*
moniteur de jeton	token monitor
moniteur de service	Voir *moniteur actif*
moniteur passif	passive monitor Syn. : *passive token monitor*
MT	Voir *multiplexage temporel*
MTA	Voir *multiplexage temporel asynchrone*
MTA à accès aléatoire	random access asynchronous TDM
MTA à accès contrôlé	controlled access asynchronous TDM
MTS	Voir *multiplexage temporel synchrone*
MT statistique	Voir *multiplexage temporel statistique*
multidiffusion sur réseau local Syn. : *diffusion sélective sur réseau local*	LAN multicast
multiplexage de connexions	upward multiplexing
multiplexage de liaisons	link multiplex
multiplexage en fréquence	frequency division multiplexing Abrév. : *FDM*
multiplexage temporel Abrév. : *MT*	time division multiplexing Abrév. : *TDM*
multiplexage temporel asynchrone Abrév. : *MTA*	asynchronous TDM Abrév. : *ATDM*
multiplexage temporel statistique Syn. : *MT statistique*	statistical TDM

multiplexage temporel synchrone — synchronous TDM
Abrév. : *MTS*

NETBIOS — NETBIOS
Syn. : *interface NETBIOS*
Syn. : *Network Basic Input/Output System*, *NETBIOS interface*

niveau — Voir *couche*

noeud — node
Voir figure 13

noeud actif — active node

noeud adjacent — adjacent node

noeud appelant — calling node

noeud appelé — called node
Syn. : *answering node*

noeud central — central node

noeud de destination — Voir *noeud récepteur*

noeud défectueux — Voir *noeud en panne*

noeud de réseau — network node

noeud destinataire — Voir *noeud récepteur*

noeud d'extrémité — endpoint node
Syn. : *end node*

noeud émetteur — sending node
Voir figure 20
Syn. : *transmitting node*, *originating node*, *source node*

noeud en amont — upstream node

noeud en aval — downstream node

noeud en panne — faulty node
Syn. : *noeud défectueux*

noeud intermédiaire — intermediate node

noeud passif — passive node

noeud récepteur — receiving node
Syn. : *noeud destinataire*
noeud de destination
Voir figure 20
Syn. : *destination node*
target node

nom de réseau — network name
Syn. : *nom réseau*

nom réseau — Voir *nom de réseau*

norme de chiffrement de données — data encryption standard
Abrév. : *DES*

notification de dérangements — Voir *signalisation d'incidents*

notification d'erreurs — Voir *signalisation d'erreurs*

NRM — Voir *mode de réponse normal*

numéro d'anneau — ring number
Voir figure 14

Omninet — Voir *réseau Omninet*

onde porteuse — carrier wave
Syn. : *porteuse*
Syn. : *carrier*

ordinateur hôte
Syn. : *système hôte*
hôte

host computer
Syn. : *host system*
host

ordinateur hôte distant
Syn. : *système hôte distant*

remote host

ordinateur hôte local
Syn. : *système hôte local*

local host

ordinateur industriel

industrial computer

ordinateur personnel
Abrév. : *PC*

personal computer
Abrév. : *PC*

ordinateur personnel IBM
Syn. : *PC IBM*

IBM Personal Computer
Syn. : *IBM PC*

ordinateur personnel industriel IBM
Syn. : *PC industriel IBM*

IBM Industrial Personal Computer
Syn. : *IBM Industrial PC*

organisation en couches

Voir *structuration en couches*

Organisation internationale de normalisation
Abrév. : *ISO*

International Organization for Standardization
Abrév. : *ISO*

OSI

Voir *interconnexion de systèmes ouverts*

PABX

Voir *autocommutateur privé*

paire blindée
Syn. : *paire protégée*

shielded pair

paire de fils torsadés

Voir *paire torsadée*

paire filaire — wire pair
Syn. : *paire métallique*

paire métallique — Voir *paire filaire*

paire non blindée — unshielded pair
Syn. : *paire non protégée*

paire non protégée — Voir *paire non blindée*

paire protégée — Voir *paire blindée*

paire symétrique — Voir *paire torsadée*

paire torsadée — twisted pair
Syn. : *paire symétrique*
paire de fils torsadés
Syn. : *twisted wire pair*
twisted pair wire

paire torsadée blindée — shielded twisted pair
Syn. : *paire torsadée protégée*
Voir figure 4b
Syn. : *shielded twisted pair wire*

paire torsadée non blindée — unshielded twisted pair
Syn. : *paire torsadée non protégée*

paire torsadée non protégée — Voir *paire torsadée non blindée*

paire torsadée protégée — Voir *paire torsadée blindée*

PAL — Voir *protocole d'accès à la liaison*

panneau de distribution — distribution panel

panneau de raccordement — patch panel

paquet de données — data packet

partage de base de données — data base sharing

partage de fichiers — file sharing

partage de périphériques — device sharing
Syn. : *peripheral sharing*

partage de ressources	resource sharing
partage d'imprimante Syn. : *partage imprimante*	printer sharing
partage imprimante	Voir *partage d'imprimante*
passage de jeton Syn. : *circulation de jeton* *rotation de jeton*	token passing
passage de jeton non adressé	implicit token passing
passage de jeton sur anneau Syn. : *jeton sur anneau* **Voir figures 18, 20, 21, 22 et 23**	token passing on a ring
passage de jeton sur bus Syn. : *jeton sur bus* **Voir figure 19**	token passing on a bus
passerelle Syn. : *passerelle de communication* **Voir figure 13**	gateway
passerelle asynchrone	asynchronous gateway
passerelle de communication	Voir *passerelle*
passerelle de réseau en anneau à jeton	token ring network gateway
passerelle de réseaux locaux	LAN gateway
PBX	Voir *autocommutateur privé*
PBX analogique	analog PBX
PBX numérique	digital PBX
PC	Voir *ordinateur personnel*
PC	Voir *point de concentration*
PC IBM	Voir *ordinateur personnel IBM*

PC industriel IBM	Voir *ordinateur personnel industriel IBM*
PC passerelle	gateway PC
période élémentaire	Voir *durée de tranche*
perte de jeton	lost-token condition
perte de jeton libre	free token loss
point central d'anneau à jeton	token ring backbone
point central de bus à large bande Syn. : *point central de bus large bande*	broadband bus backbone
point central de bus large bande	Voir *point central de bus à large bande*
point d'accès au service Abrév. : *SAP*	service access point Abrév. : *SAP*
point de concentration Abrév. : *PC*	concentration point Abrév. : *CP*
point d'extrémité de connexion Syn. : *extrémité de connexion*	connection endpoint Abrév. : *CEP* Syn. : *endpoint*
pont **Voir figure 12**	bridge Syn. : *communication bridge*
pont de réseau en anneau à jeton	token ring bridge
pont de réseaux locaux	LAN-to-LAN bridge
porteuse	Voir *onde porteuse*
postambule	postamble

poste de travail	Voir *station de travail*
poste de travail individuel	Voir *station de travail individuelle*
préambule	preamble
PRI	Voir *station primaire*
primitive	primitive
priorité de jeton **Voir figure 14**	token priority
prise robinet	Voir *tap*
procédure asynchrone	Voir *protocole d'accès asynchrone*
procédure CSMA	Voir *protocole CSMA*
procédure CSMA/CA	Voir *protocole CSMA/CA*
procédure CSMA/CD	Voir *protocole CSMA/CD*
procédure d'accès	Voir *protocole d'accès*
procédure d'accès à la liaison	Voir *protocole d'accès à la liaison*
procédure de commande de liaison de données	Voir *procédure de contrôle de liaison de données*
procédure de contrôle d'accès au jeton	Voir *protocole de contrôle d'accès au jeton*
procédure de contrôle de liaison de données Syn. : *procédure de commande de liaison de données*	DLC procedure
procédure synchrone	Voir *protocole d'accès synchrone*
processeur de communication Syn. : *processeur de transmission*	communication processor

processeur de transmission	Voir *processeur de communication*
programme NETBIOS	NETBIOS program
protocole	protocol
protocole Aloha	Voir *protocole Aloha pur*
protocole Aloha à découpage temporel	Voir *protocole Aloha à segmentation temporelle*
protocole Aloha à segmentation temporelle Syn. : *protocole Aloha à découpage temporel* *Aloha à segmentation temporelle*	slotted Aloha protocol Syn. : *slotted Aloha*
protocole Aloha pur Syn. : *Aloha pur* *protocole Aloha* *Aloha*	pure Aloha Syn. : *Aloha protocol* *Aloha*
protocole interréseau	internetwork protocol Syn. : *internet protocol* (gén.)
protocole CSMA Syn. : *procédure CSMA*	CSMA protocol Syn. : *CSMA access protocol*
protocole CSMA/CA Syn. : *procédure CSMA/CA*	CSMA/CA protocol Syn. : *CSMA/CA access protocol*
protocole CSMA/CD Syn. : *procédure CSMA/CD*	CSMA/CD protocol Syn. : *CSMA/CD access protocol*
protocole d'accès Syn. : *procédure d'accès*	access protocol Syn. : *access procedure*
protocole d'accès à la liaison Abrév. : *PAL* Syn. : *protocole de liaison* *procédure d'accès à la liaison*	link access protocol Abrév. : *LAP*

protocole d'accès à l'anneau	ring access protocol
protocole d'accès à l'anneau à jeton	Voir *protocole de contrôle d'accès à l'anneau à jeton*
protocole d'accès asynchrone Syn. : *protocole asynchrone* *procédure asynchrone*	asynchronous protocol
protocole d'accès au bus à jeton	token bus protocol
protocole d'accès au réseau local	LAN access protocol
protocole d'accès synchrone Syn. : *protocole synchrone* *procédure synchrone*	synchronous protocol
protocole d'appel Syn. : *protocole d'invitation à émettre*	polling protocol
protocole de bout en bout	end-to-end protocol
protocole de communication Syn. : *protocole de transmission*	communication protocol Syn. : *transmission protocol*
protocole de commutation de circuits	circuit switching protocol
protocole de contrôle d'accès	access control protocol
protocole de contrôle d'accès à l'anneau à jeton Syn. : *protocole d'accès à l'anneau à jeton*	token ring access control protocol Syn. : *token ring protocol*
protocole de contrôle d'accès au jeton Syn. : *procédure de contrôle d'accès au jeton*	token access control protocol Syn. : *token access control procedure*
protocole de liaison	Voir *protocole d'accès à la liaison*
protocole de plus haut niveau	higher layer protocol Syn. : *higher level protocol*

protocole de transmission	Voir *protocole de communication*
protocole de transport	transport protocol
protocole d'invitation à émettre	Voir *protocole d'appel*
protocole Internet Abrév. : *IP* Syn. : *protocole IP*	Internet Protocol (spéc.) Abrév. : *IP*
protocole interréseau	internetwork protocol Syn. : *internet protocol* (gén.)
protocole IP	Voir *protocole Internet*
protocole LLC	LLC protocol
protocole MAC	MAC protocol
protocole OSI	OSI protocol
protocole synchrone	Voir *protocole d'accès synchrone*
purge (de réseau, p. ex.)	purge (n.)
purger (un réseau, p. ex.)	purge (v.)

raccordement au support physique	Voir *connexion au support physique*
réacheminement Syn. : *reroutage*	rerouting
récepteur (matériel)	receiver
reconfiguration	reconfiguration
reconfiguration de réseau	network reconfiguration

reconfiguration de réseau en anneau Syn. : *reconfiguration en anneau*	ring network reconfiguration Syn. : *ring reconfiguration*
reconfiguration en anneau	Voir *reconfiguration de réseau en anneau*
reconnaissance d'adresse	address recognition Syn. : *address field recognition*
reconnaissance de jeton	token recognition
reconnaissance de trame	frame recognition
recouvrement d'erreurs	Voir *reprise sur erreur*
redressement d'erreurs	Voir *reprise sur erreur*
registre à décalage	shift register
régulation	pacing
relais de contournement	bypass relay
remorque physique	Voir *fin physique*
renforcement de collisions	collision enforcement
répéteur	repeater
répéteur actif	active repeater
répéteur optique	fiber optic repeater Syn. : *optical fiber repeater*
reprise sur erreur Syn. : *recouvrement d'erreurs* *redressement d'erreurs*	error recovery
reroutage	Voir *réacheminement*
réseau à accès bloquant	blocking network
réseau à accès contrôlé	controlled access network

réseau à accès non bloquant	nonblocking network
réseau à accès partagé	shared access network
réseau à CSMA/CA	CSMA/CA network
réseau à CSMA/CD	CSMA/CD network
réseau à diffusion	Voir *réseau de diffusion*
réseau à double boucle	double loop network
réseau à jeton	token network
réseau à jeton circulant	Voir *réseau en anneau à jeton*
réseau à large bande Syn. : *réseau large bande*	broadband network
réseau arborescent Syn. : *réseau en arbre*	tree network
réseau à topologie en étoile	Voir *réseau en étoile*
réseau à tranche vide	Voir *réseau en anneau à segmentation temporelle*
réseau à VA	Voir *réseau à valeur ajoutée*
réseau à valeur ajoutée Syn. : *réseau à VA*	value added network Abrév. : *VAN*
réseau bande de base	Voir *réseau en bande de base*
réseau commuté	switched network
réseau de câblage	wiring network
réseau de communication Syn. : *réseau de transmission*	communication network Syn. : *transmission network*
réseau de diffusion Syn. : *réseau à diffusion*	broadcast network
réseau de données	data network

réseau d'entreprise — Voir *réseau local*

réseau de PC — Voir *réseau local de PC*

réseau de traitement réparti — DDP network
Syn. : *distributed processing network*

réseau de transmission — Voir *réseau de communication*

réseau d'intercommunication — intercommunication network

réseau d'interconnexion — Voir *super-réseau*

réseau d'ordinateurs — Voir *réseau informatique*

réseau en anneau — ring network

réseau en anneau à découpage temporel — Voir *réseau en anneau à segmentation temporelle*

réseau en anneau à jeton — token ring network
Syn. : *réseau à jeton circulant*
Syn. : *token passing ring network*

réseau en anneau à jeton IBM — IBM Token Ring Network
Syn. : *réseau local en anneau à jeton IBM*

réseau en anneau à segmentation temporelle — slotted ring network
Syn. : *réseau en anneau à découpage temporel*
réseau à tranche vide

réseau en anneau et étoile — Voir *réseau en anneau étoilé*

réseau en anneau étoilé — star ring network
Syn. : *réseau en anneau et étoile*
Voir figure 13

réseau en arbre — Voir *réseau arborescent*

réseau en bande de base — baseband network
Syn. : *réseau bande de base*

réseau en boucle	loop network
réseau en bus	bus network
réseau en étoile Syn. : *réseau à topologie en étoile* *réseau étoilé*	star network Syn. : *star topology network*
réseau en marguerite	daisy chain network Syn. : *daisy chain loop network*
réseau Ethernet Syn. : *Ethernet*	Ethernet
réseau étoilé	Voir *réseau en étoile*
réseau fermé	closed network
réseau hétérogène	Voir *réseau hétérogène d'ordinateurs*
réseau hétérogène d'ordinateurs Syn. : *réseau hétérogène*	heterogeneous computer network
réseau homogène	Voir *réseau homogène d'ordinateurs*
réseau homogène d'ordinateurs Syn. : *réseau homogène*	homogeneous computer network Syn. : *homogeneous network*
réseau hybride	hybrid network Syn. : *composite network*
réseau informatique Syn. : *réseau d'ordinateurs*	computer network
réseau large bande	Voir *réseau à large bande*
réseau local (gén.) Abrév. : *RL* Syn. : *réseau local d'entreprise* (spéc.) Abrév. : *RLE* Syn. : *réseau d'entreprise* (spéc.)	local area network Abrév. : *LAN* Syn. : *local network*

réseau local à fibres optiques	Voir *réseau local optique*
réseau local à haute vitesse Syn. : *réseau local haute vitesse*	high speed LAN Syn. : *high speed local network* Abrév. : *HSLN*
réseau local à large bande Syn. : *réseau local large bande*	broadband LAN
réseau local bande de base	Voir *réseau local en bande de base*
réseau local bande de base en anneau à jeton	Voir *réseau local en bande de base et anneau à jeton*
réseau local d'entreprise	Voir *réseau local*
réseau local de PC Syn. : *réseau de PC*	PC LAN Syn. : *PC local network* *PC network*
réseau local d'ordinateurs	Voir *réseau local informatique*
réseau local en anneau	ring LAN Syn. : *ring topology LAN*
réseau local en anneau à jeton	token ring LAN
réseau local en anneau à jeton IBM	Voir *réseau en anneau à jeton IBM*
réseau local en bande de base Syn. : *réseau local bande de base*	baseband LAN
réseau local en bande de base et anneau à jeton Syn. : *réseau local bande de base en anneau à jeton*	token ring baseband LAN
réseau local en bus	bus LAN
réseau local en étoile	star LAN
réseau local fermé	closed LAN

réseau local haute vitesse	Voir *réseau local à haute vitesse*
réseau local hétérogène	heterogeneous LAN
réseau local homogène	homogeneous LAN Syn. : *homogeneous local network*
réseau local hybride	hybrid LAN Syn. : *hybrid local network* *composite local network*
réseau local industriel	industrial LAN
réseau local informatique Syn. : *réseau local d'ordinateurs*	computer LAN
réseau local large bande	Voir *réseau local à large bande*
réseau local multipont **Voir figure 12**	multiple bridge LAN
réseau local optique Syn. : *réseau local à fibres optiques*	fiber optic LAN
réseau local ouvert	open LAN
réseau local PC IBM	IBM PC Network
réseau longue distance Syn. : *grand réseau*	wide area network Abrév. : *WAN* Syn. : *long haul network*
réseau maillé	mesh network
réseau multipoint	multipoint network
réseau numérique à intégration de services Abrév. : *RNIS* Syn. : *réseau numérique multiservice*	integrated services digital network Abrév. : *ISDN*

réseau numérique multiservice	Voir *réseau numérique à intégration de services*
réseau Omninet Syn. : *Omninet*	Omninet
réseau ouvert	open network
réseau primaire Abrév. : *RP* Syn. : *réseau principal*	primary network
réseau principal	Voir *réseau primaire*
réseau privé	private network
réseau public	public network
réseau secondaire Abrév. : *RS*	secondary network
réseau ShareNet Syn. : *ShareNet*	ShareNet
réseau SNA	SNA network
réseau Starlan Syn. : *Starlan*	Starlan
réseau WangNet Syn. : *WangNet*	WangNet
réservation de priorité **Voir figure 14**	priority reservation Syn. : *priority setting*
réservation dynamique	Voir *allocation dynamique*
réservation statique	Voir *allocation statique*
résolution de collisions	Voir *évitement de collisions*
résolution de conflits Syn. : *résolution de conflits d'accès*	contention resolution Syn. : *access contention resolution*

résolution de conflits d'accès — Voir *résolution de conflits*

RL — Voir *réseau local*

RLE — Voir *réseau local*

RNIS — Voir *réseau numérique à intégration de services*

rotation de jeton — Voir *passage de jeton*

routage — Voir *acheminement*

routage logique — Voir *acheminement logique*

RP — Voir *réseau primaire*

RS — Voir *réseau secondaire*

S

SAP — Voir *point d'accès au service*

SCT — Voir *séquence de contrôle de trame*

SE — Voir *système d'exploitation*

SEC — Voir *station secondaire*

segmentation — fragmentation

segment d'anneau — ring segment

séparateur — Voir *délimiteur*

séquence de contrôle de trame — frame check sequence
Abrév. : *SCT* — Abrév. : *FCS*
Voir figure 14

séquencement de trames	frame sequencing
serveur	server
serveur de communication asynchrone	asynchronous communication server
serveur de fichiers Syn. : *serveur fichiers*	file server
serveur de messagerie Syn. : *serveur de messages*	mail server
serveur de messages	Voir *serveur de messagerie*
serveur de réseau local	LAN server
serveur d'impression Syn. : *serveur imprimante*	print server
serveur fichiers	Voir *serveur de fichiers*
serveur imprimante	Voir *serveur d'impression*
service à VA	Voir *service à valeur ajoutée*
service à valeur ajoutée Abrév. : *SVA* Syn. : *service à VA*	value added service
service avec connexion	Voir *transmission avec connexion*
service datagramme	Voir *datagramme*
service de messagerie	messaging service
service sans connexion	Voir *transmission sans connexion*
ShareNet	Voir *réseau ShareNet*
signal analogique	analog signal
signal de données	data signal

signal d'erreur (transmission)	beacon
signal d'incident (matériel)	beacon
signal discret Syn. : *signal temporel discret*	discretely timed signal
signalisation à large bande Syn. : *signalisation large bande*	broadband signalling
signalisation bande de base	Voir *signalisation en bande de base*
signalisation d'erreurs (transmission) Syn. : *notification d'erreurs*	beaconing Syn. : *beacon state*
signalisation d'incidents (matériel) Syn. : *notification de dérangements*	beaconing Syn. : *beacon state*
signalisation en bande de base Syn. : *signalisation bande de base*	baseband signalling
signalisation large bande	Voir *signalisation à large bande*
signal numérique	digital signal
signal temporel discret	Voir *signal discret*
SNA	Voir *architecture unifiée de réseau*
sous-couche de connexion au support physique Syn. : *sous-couche de raccordement au support physique*	PMA sublayer
sous-couche de multiplexage de liaisons	link multiplex sublayer

sous-couche de raccordement au support physique	Voir *sous-couche de connexion au support physique*
sous-couche de signalisation physique	physical signalling sublayer Abrév. : *PSS sublayer*
sous-couche LLC	LLC sublayer
sous-couche MAC Syn. : *couche MAC*	MAC sublayer Syn. : *MAC layer*
sous-réseau	subnetwork
Starlan	Voir *réseau Starlan*
station active	active station
station de commande	Voir *station de contrôle*
station de contrôle Syn. : *station pilote* *station de commande* *station de supervision*	controlling station Syn. : *control station*
station de destination	Voir *station réceptrice*
station de données	data station
station destinataire	Voir *station réceptrice*
station de supervision	Voir *station de contrôle*
station de travail Syn. : *poste de travail*	workstation
station de travail individuelle Syn. : *poste de travail individuel*	personal workstation Syn. : *individual workstation*
station émettrice Syn. : *station source*	sending station Syn. : *transmitting station* *source station*
station pilote	Voir *station de contrôle*
station primaire Abrév. : *PRI* Syn. : *station principale*	primary station

station principale	Voir *station primaire*
station réceptrice Syn. : *station destinataire* *station de destination*	receiving station Syn. : *destination station*
station secondaire Abrév. : *SEC*	secondary station
station source	Voir *station émettrice*
structuration en couches Syn. : *organisation en couches*	layering
structure	Voir *topologie*
structure arborescente	Voir *topologie en arbre*
structure centralisée	Voir *architecture centralisée*
structure décentralisée	Voir *architecture décentralisée*
structure de réseau	Voir *topologie de réseau*
structure de réseau local	Voir *topologie de réseau local*
structure de trame Syn. : *format de trame* **Voir figure 14**	frame format Abrév. : *FF* Syn. : *frame structure*
structure de trame d'information Syn. : *format de trame d'information*	data frame format Syn. : *information frame structure*
structure distribuée	Voir *architecture répartie*
structure en anneau	Voir *topologie en anneau*
structure en anneau à jeton	Voir *topologie en anneau à jeton*
structure en anneau étoilé	Voir *topologie en anneau étoilé*
structure en boucle	Voir *topologie en boucle*
structure en bus	Voir *topologie en bus*

structure en étoile	Voir *topologie en étoile*
structure en pyramide	Voir *structure hiérarchique*
structure hiérarchique Syn. : *structure hiérarchisée* *structure en pyramide*	hierarchical structure Syn. : *hierarchical wiring structure* *hierarchical network structure*
structure hiérarchisée	Voir *structure hiérarchique*
structure répartie	Voir *architecture répartie*
super-réseau Syn. : *réseau d'interconnexion*	catenet
support actif	active medium
support de transmission **Voir figures 4 et 5**	transmission medium Syn. : *medium*
support de transmission terrestre	terrestrial transmission medium
support passif	passive medium
support physique	physical medium
SVA	Voir *service à valeur ajoutée*
système à large bande Syn. : *système large bande*	broadband system
système bande de base	Voir *système en bande de base*
système BI	Voir *système bureautique intégré*
système bureautique	office automation system Abrév. : *OAS* Syn. : *automated office system* *electronic office system*

système bureautique intégré Syn. : *système BI*	integrated office system Abrév. : *IOS* Syn. : *integrated office automation system* Abrév. : *IOAS*
système de câblage	wiring system Syn. : *cabling system*
système de cablâge IBM	IBM Cabling System
système de communication Syn. : *système de transmission*	communication system Syn. : *transmission system*
système de communication d'entreprise	enterprise communication system
système de communication d'établissement	establishment communication system Abrév. : *ECS*
système de contrôle de l'information Abrév. : *CICS*	Customer Information Control System Abrév. : *CICS*
système de messagerie	message system
système de transmission	Voir *système de communication*
système de transmission analogique	analog transmission system
système de transmission numérique	digital transmission system
système de transport d'informations	information transport system
système d'exploitation Abrév. : *SE*	operating system Abrév. : *OS*
système d'exploitation distribué	Voir *système d'exploitation réparti*

système d'exploitation mono-utilisateur Syn. : *système mono-utilisateur*	single user operating system Syn. : *single user system*
système d'exploitation multi-utilisateur Syn. : *système multi-utilisateur*	multiuser operating system Syn. : *multiuser system* *multiple user operating system* *multiple user system*
système d'exploitation réparti Syn. : *système d'exploitation distribué*	distributed operating system
système d'information d'entreprise **Voir figure 3**	enterprise information system
système d'information d'établissement **Voir figure 2**	establishment information system Abrév. : *EIS*
système en bande de base Syn. : *système bande de base*	baseband system
système hôte	Voir *ordinateur hôte*
système hôte distant	Voir *ordinateur hôte distant*
système hôte local	Voir *ordinateur hôte local*
système infrarouge	infrared system
système large bande	Voir *système à large bande*
système mono-utilisateur	Voir *système d'exploitation mono-utilisateur*
système multi-utilisateur	Voir *système d'exploitation multi-utilisateur*
système ouvert	open system
système réseau	network system

t

TCD	Voir *terminaison de circuit de données*
TD	Voir *terminal de données*
technique d'accès	Voir *méthode d'accès*
technique d'accès à l'anneau	Voir *méthode d'accès à l'anneau*
technique d'accès à l'anneau à jeton	Voir *méthode d'accès à l'anneau à jeton*
technique de contrôle d'accès	Voir *méthode de contrôle d'accès*
technique de jeton adressé	Voir *adressage explicite*
technique de jeton non adressé	Voir *adressage implicite*
technique de la tranche vide	Voir *méthode de segmentation temporelle*
technique de segmentation temporelle	Voir *méthode de segmentation temporelle*
technique de transmission	transmission technique
technique d'insertion de registre	register insertion technique
technique MAC	MAC technique
télédistribution	Voir *câblodistribution*
temporisateur	timer
temps de propagation	propagation time

temps de propagation aller-retour — round trip propagation time

temps de réponse
Syn. : *temps réponse*
— response time

temps réponse — Voir *temps de réponse*

terminaison de circuit de données
Abrév. : *TCD*
Syn. : *équipement de terminaison de circuit de données*
Abrév. : *ETCD*
— data circuit terminating equipment
Abrév. : *DCE*

terminal asynchrone — asynchronous terminal

terminal de données
Abrév. : *TD*
Syn. : *équipement terminal de traitement de données*
Abrév. : *ETTD*
— data terminal equipment
Abrév. : *DTE*

terminal synchrone — synchronous terminal

terminateur — Voir *dispositif de terminaison*

tête de station — headend

TIC — Voir *coupleur d'interface d'anneau à jeton*

topologie
Syn. : *architecture*
structure
— topology
Syn. : *topological structure*

topologie arborescente — Voir *topologie en arbre*

topologie de câblage — wiring topology

topologie de diffusion — broadcast topology

topologie de réseau
Syn. : *architecture de réseau*
structure de réseau
— network topology
Syn. : network architecture
network structure

topologie de réseau local
Syn. : *architecture de réseau local* (gén.)
structure de réseau local

LAN topology
Syn. : *LAN architecture*

topologie en anneau
Syn. : *architecture en anneau*
structure en anneau
Voir figure 10

ring topology
Syn. : *ring architecture*
ring structure

topologie en anneau à jeton
Syn. : *architecture en anneau à jeton*
structure en anneau à jeton

token ring topology
Syn. : *token ring architecture*
token ring structure

topologie en anneau étoilé
Syn. : *architecture en anneau étoilé*
structure en anneau étoilé

star ring topology
Syn. : *star wired ring topology*
star ring architecture
star ring organization

topologie en arbre
Syn. : *topologie arborescente*
architecture arborescente
structure arborescente
Voir figure 7

tree topology
Syn. : *branching tree topology*
tree structure

topologie en boucle
Syn. : *architecture en boucle*
structure en boucle
Voir figure 9

loop topology
Syn. : *loop architecture*

topologie en bus
Syn. : *architecture en bus*
structure en bus
Voir figure 6

bus topology
Syn. : *bus architecture*

topologie en étoile
Syn. : *architecture en étoile*
structure en étoile
Voir figure 8

star topology

topologie en étoile physique

physical star topology

topologie physique Syn. : *architecture physique*	physical link topology Syn. : *physical topology*
traduction d'adresse	address translation
trafic asynchrone	asynchronous traffic Syn. : *asynchronous data traffic*
trafic entrant	inbound traffic
trafic sortant	outbound traffic
trafic synchrone	synchronous traffic
train de données	Voir *trame*
traitement réparti	Voir *informatique répartie*
trame Syn. : *train de données*	frame
trame circulante	Voir *trame en circulation*
trame d'appel Syn. : *trame d'invitation à émettre*	polling frame Syn. : *poll frame*
trame de commande	Voir *trame de contrôle*
trame de contrôle Syn. : *trame de commande*	control frame
trame de notification de dérangements	Voir *trame de signalisation d'incidents*
trame de notification d'erreurs	Voir *trame de signalisation d'erreurs*
trame de signalisation d'erreurs (transmission) Syn. : *trame de notification d'erreurs*	beacon frame Syn. : *beacon type frame*
trame de signalisation d'incidents (matériel) Syn. : *trame de notification de dérangements*	beacon frame Syn. : *beacon type frame*

trame de supervision	supervisory frame
trame de transmission	transmission frame
trame d'information	data frame Syn. : *information frame*
trame d'invitation à émettre	Voir *trame d'appel*
trame en circulation Syn. : *trame circulante*	circulating frame
trame non numérotée	unnumbered frame
tranche circulante	Voir *tranche en circulation*
tranche de temps Syn. : *intervalle de temps*	time slot
tranche en circulation Syn. : *tranche circulante*	circulating slot
tranche pleine Syn. : *intervalle de temps plein*	full slot
tranche vide Syn. : *intervalle de temps vide*	empty slot
transfert de données Syn. : *transfert d'informations*	data transfer
transfert de trames	frame transfer
transfert d'informations	Voir *transfert de données*
transmission à haute vitesse	Voir *communication à haute vitesse*
transmission à large bande Syn. : *transmission large bande*	broadband transmission
transmission analogique	analog transmission
transmission analogique à large bande Syn. : *transmission analogique large bande*	broadband analog transmission

transmission analogique large bande	Voir *transmission analogique à large bande*
transmission asynchrone	Voir *communication asynchrone*
transmission avec connexion Syn. : *service avec connexion*	connection oriented transmission Syn. : *connection oriented service*
transmission bande de base	Voir *transmission en bande de base*
transmission bidirectionnelle	Voir *communication bidirectionnelle*
transmission de données	Voir *communication de données*
transmission en bande de base Syn. : *transmission bande de base*	baseband transmission
transmission haute vitesse	Voir *communication à haute vitesse*
transmission large bande	Voir *transmission à large bande*
transmission multipoint	Voir *communication multipoint*
transmission numérique	digital transmission
transmission numérique bande de base	Voir *transmission numérique en bande de base*
transmission numérique en bande de base Syn. : *transmission numérique bande de base*	baseband digital transmission Syn. : *digital baseband transmission*
transmission parallèle	parallel transmission
transmission point à point	Voir *communication point à point*
transmission sans connexion Syn. : *service sans connexion*	connectionless transmission Syn. : *connectionless service*
transmission série	serial transmission

transmission synchrone	Voir *communication synchrone*
transmission unidirectionnelle	Voir *communication unidirectionnelle*
transmission voix-données	Voir *communication voix-données*
transport d'informations	information transport
transporteur Syn. : *contrôleur d'interface*	transporter
transporteur	Voir *entreprise de télécommunications*

U

UCG	Voir *contrôleur de grappes*
unité adressable de réseau	network addressable unit
unité d'accès au support	Voir *unité de connexion au support*
unité d'accès multiposte	Voir *unité d'accès multistation*
unité d'accès multistation Abrév. : *MAU* Syn. : *unité d'accès multiposte* *unité de raccordement multistation*	multistation access unit Abrév. : *MAU*
unité de connexion au support Syn. : *unité de raccordement au support* *unité d'accès au support*	medium attachment unit Abrév. : *MAU* Syn. : *medium access unit*
unité de connexion de lobe Syn. : *unité de raccordement de lobe*	lobe attachment unit

unité de contrôle de grappes	Voir *contrôleur de grappes*
unité de données de protocole	protocol data unit
unité de données de service	service data unit
unité de raccordement au support	Voir *unité de connexion au support*
unité de raccordement de lobe	Voir *unité de connexion de lobe*
unité de raccordement multistation	Voir *unité d'accès multistation*
unité d'interface réseau	network interface unit Abrév. : *NIU*
utilisateur de réseau local	local network user
utilisateur final	end user

V

verrouillage (protection de ressources, p. ex.)	deadlock Syn. : *interlock*
vitesse de transfert	transfer rate
vitesse de transmission	transmission speed
voie à large bande Syn. : *voie large bande*	broadband channel
voie bande de base	Voir *voie en bande de base*
voie bidirectionnelle	Voir *voie de communication bidirectionnelle*

voie de communication Syn. : *voie de transmission*	communication channel Syn. : *communication path* *transmission channel* *transmission path*
voie de communication bidirectionnelle Syn. : *voie bidirectionnelle*	bidirectional communication channel Syn. : *bidirectional communication path*
voie de communication unidirectionnelle Syn. : *voie unidirectionnelle*	unidirectional communication channel Syn. : *unidirectional communication path*
voie de transmission	Voir *voie de communication*
voie en bande de base Syn. : *voie bande de base*	baseband channel
voie large bande	Voir *voie à large bande*
voie unidirectionnelle	Voir *voie de communication unidirectionnelle*

W

WangNet	Voir *réseau WangNet*

Z

zone adresse	Voir *zone d'adresse*
zone adresse destinataire	Voir *zone adresse destination*

zone adresse destination Syn. : *champ adresse destination* *zone adresse destinataire* *champ adresse destinataire*	destination address field Abrév. : *DAF*
zone adresse expéditeur	Voir *zone adresse origine*
zone adresse origine Syn. : *champ adresse origine* *zone adresse expéditeur* *champ adresse expéditeur*	source address field
zone CRC Syn. : *champ CRC*	CRC field
zone d'adresse Syn. : *champ d'adresse* *zone adresse* *champ adresse*	address field Syn. : *addressing field*
zone de contrôle Syn. : *champ de commande*	control field
zone de contrôle physique Syn. : *champ de contrôle physique*	physical control field
zone de données Syn. : *champ de données* *zone d'informations* *champ d'informations*	data field Syn. : *information field*
zone de priorité de jeton Syn. : *champ de priorité de jeton*	token priority field
zone de réservation Syn. : *champ de réservation*	reservation field
zone d'informations	Voir *zone de données*

zone modificatrice
Abrév. : *MOD*
Syn. : *champ modificateur*
Voir figure 14

modifier field
Abrév. : *MOD*

zone SCT
Syn. : *champ SCT*

FCS field

Bibliographie

Ouvrages spécialisés

Association française de normalisation. *Systèmes de traitement de l'information : interconnexion de systèmes ouverts; modèle de référence de base.* Paris : AFNOR, 1985.

Bell. Services linguistiques. Centre de terminologie et de documentation. *La bureautique intégrée, lexique = The Integrated Office, Glossary.* Montréal : Bell, 1985.

Bell canada. Services linguistiques. Centre de terminologie. *Lexique général des télécommunications.* Montréal : Bell Canada, 1979.

Bornes, Christian. *Les nouvelles technologies dans l'information scientifique et technique. Cours INRIA.* Le Chesnay : Institut National de la Recherche en Informatique et en Automatique, 1984.

Canada. Secrétariat d'État. Bureau des traductions. *Télégraphie et téléphonie.* 2e éd. Ottawa : le Secrétariat, 1973.

Cheong, V. E., Hirschheim, R.A. *Local Area Networks : Issues, Products and Developments.* New York, Toronto : John Wiley & Sons, 1983.

Chuquet, H., Fantou, J.C. *Dictionnaire, lexique micro informatique à accès rapide.* Paris : Éditions Radio, 1984.

Conseil international de la langue française. *Dictionnaire des industries.* Paris : CILF, 1986.

Cornafion. *Systèmes informatiques répartis.* Paris : Dunod, 1981.

Danzin, André. *Traité pratique d'électronique.* Paris : Techniques de l'ingénieur, 1970-

Datapro Research Corp. *All About Local Area Networks.* Delran (NJ) : Datapro Research Corp., 1982.

De Blasis, Jean-Paul. *La bureautique; outils et applications.* Paris : Les Éditions d'organisation, 1982.

Delamarre, Gérard. *Le dictionnaire des réseaux; base de la télématique.* Paris : Informatique et gestion, 1979.

Edmunds, Robert A. *The Prentice Hall Standard Glossary of Computer Terminology.* Englewood Cliffs (NJ) : Prentice Hall, 1985.

Encyclopédie des équipements de bureau et matériels d'informatique. Paris : CIMAB, 1968-

France. Ministère de l'Économie, des Finances et du Budget. Direction du budget. Service central d'organisation et méthodes. *Éléments de téléinformatique.* Paris : La Documentation française, 1980.

FRANCE. Ministère de l'Économie, des Finances et du Budget. Direction du budget. Service central d'organisation et méthodes. *Terminologie de l'informatique de gestion.* Paris : La Documentation française, 1985.

FRANCE. Ministère des P.T.T. *Les télécommunications françaises.* Paris : P.T.T., 1982.

FRANCE. Ministère des P.T.T. Direction des Télécommunications. *Abrégé de terminologie.* 5e éd. Paris : P.T.T., 1983.

FREEDMAN, Alan. *The Computer Glossary.* New York : The Computer Language Company, 1983.

GALLAND, Frank J. *Dictionary of Computing.* New York, Toronto : John Wiley & Sons, 1983.

GINGUAY, Michel, LAURET, Annette. *Dictionnaire d'informatique.* 2e éd. Paris : Masson, 1982.

GINGUAY, Michel. *Dictionnaire d'informatique, bureautique, télématique, français-anglais.* 3e éd. Paris : Masson, 1984.

GINGUAY, Michel. *Dictionnaire d'informatique, bureautique, télématique, anglais-français.* 8e éd. Paris : Masson, 1985.

GROUPE DES COMMUNICATIONS INFORMATIQUES. *Terminologie de la téléinformatique et des domaines connexes.* 2e éd. Ottawa : CGI, 1982.

HOSTE, Frederic. *Les réseaux locaux d'entreprises; marchés et technologies.* Paris : EdiTests, 1983.

IBM CANADA LTÉE. *Introduction aux réseaux locaux.* Montréal : IBM Canada Ltée, 1985. (SC09-0099)

IBM CANADA LTÉE. *Réseau à jeton circulant IBM.* Montréal : IBM Canada Ltée, 1986.

IBM CORP. *A Building Planning Guide for Communication Wiring.* New York : IBM Corp., 1984. (G320-8059)

IBM CORP. *An Introduction to Local Area Networks.* 1983. (GC20-8203)

IBM CORP. *IBM Token Ring Network.* New York : IBM Corp., 1985.

IBM CORP. *Local Area Networks: A Review.* New York : IBM Corp., 1983. (G320-0108)

IBM CORP. *Positioning Local Area Networks.* New York : IBM Corp., 1984. (G520-5031)

IBM CORP. *Vocabulary for Data Processing, Telecommunications and Office Systems.* 7th ed. Poughkeepsie (NY) : IBM Corp., 1981. (GC20-1699)

IBM FRANCE. *Terminologie du traitement de l'information.* 6e éd. Paris : IBM France, 1984. (GCF2-0076)

ILLINGWORTH, V. (Éd). *Dictionary of Computing.* 2nd ed. New York : Oxford University Press, 1986.

LANGLEY, Graham. *Telephony's Dictionary.* Chicago : Telephony, 1982.

MACCHI, César et al. *Téléinformatique; transport et traitement de l'information dans les réseaux et systèmes téléinformatiques.* Nouv. éd. Paris : Bordas et C.N.E.T.-E.N.S.T., 1983.

MAIMAN, Maxime. *Télématique; introduction aux principes techniques.* Paris : Masson, 1982.

MAIMAN, Maxime. *Télématique; téléinformatique et réseaux.* 2e éd. Paris : Masson, 1985.

MANSON, Nicolas, (Éd). *Traité pratique d'informatique.* Paris : Techniques de l'ingénieur, 1970-

MARTINEAU, Jean. *La bureautique.* Paris : McGraw-Hill, 1982.

MATHELOT, Pierre. *La bureautique.* Paris : Presses universitaires de France, 1982. (Que sais-je?, 2038)

McGraw-Hill Encyclopedia of Electronics and Computers. New York : McGraw-Hill, 1982.

McGraw-Hill, Dictionary of Scientific and Technical Terms. 3rd ed. New York : McGraw-Hill, 1984.

MEADOWS, A. J. et al. *Dictionary of New Information Technology.* London : Century Publishing, 1982.

MESSERLI, Paul Albert. *Lexique de la télématique.* Paris : SCM, 1979.

MORVAN, Pierre. *Dictionnaire de l'informatique.* Paris : Larousse, 1981.

NORTHERN TELECOM LTÉE. *Gestion et normes des pratiques. Lexique technique général anglais-français.* Montréal : Northern Telecom Ltée, 1984. (Pratique 001-1010-100f)

ORGANISATION INTERNATIONALE DE NORMALISATION. *ISO/TC97/SC1. Information Processing Systems. Fifth Working Document on Section 25 « Local Area Networks ». ISO/TC97/SC1/WG 7.* Paris : ISO, 1986.

POLITIS, Michel. *Techniques de la bureautique.* Paris : Masson, 1984.

PUJOLLE, Guy. *Les réseaux d'entreprise; réseaux locaux et bureautique.* Paris : Eyrolles, 1983.

PUJOLLE, Guy et al. *Réseaux et télématique.* Tome 1. Paris : Eyrolles, 1985.

PUJOLLE, Guy et al. *Réseaux et télématique.* Tome 2. Paris : Eyrolles, 1985.

Québec (Province). Office de la langue française. *Terminologie de l'informatique.* Québec : Éditeur officiel, 1983.

Robin, Xavier. *Technologie des systèmes bureautiques.* Paris : Les Éditions d'organisation, 1982.

Rosenberg, Jerry M. *Dictionary of Computers, Data Processing & Telecommunications.* New York, Toronto : John Wiley & Sons, 1983.

Sippl, Charles J. *Data Communications Dictionary.* New York, Toronto : Van Nostrand Reinhold, 1976.

Sippl, Charles J., *Dictionary of Data Communications.* 2nd ed. New York : Halsted Press, 1985.

Smith, Emerson C. *Glossary of Communications.* Chicago : Telephony, 1971.

Stallings, William. *Local Networks; An Introduction.* New York : MacMillan, 1984.

Stokes, Adrian V., *Concise Encyclopaedia of Information Technology.* 2nd ed. Brookfield (VT) : Gower, 1984.

SUP Telecom. *Actes du congrès : De nouvelles architectures pour les communications; interfaces, passerelles, interconnexions.* Paris : Eyrolles, 1985.

Téléglobe Canada. *Dictionnaire bilingue des télécommunications internationales.* Volume 2. Équipements de transmission. Montréal : Téléglobe Canada, 1985.

Toussaint, Jérôme et Masson, Philippe. *Les techniques de la télématique.* Paris : EdiTests, 1984. 111 p.

Toussaint, Jérôme et Masson, Philippe. *La communication d'entreprise.* Paris : EdiTests, 1985.

Union internationale des télécommunications. *Provisional Glossary of Telecommunications Terms.* Genève : UIT, 1979.

Union internationale des télécommunications. *Comité consultatif international télégraphique et téléphonique. Livre rouge. Tome III Fascicule III.5. Réseau numérique avec intégration des services (RNIS). Recommandations de la série I.* Genève : UIT, 1985.

Union internationale des télécommunications. *Comité consultatif international télégraphique et téléphonique. Red Book. Volume III Fascicle III.5. Integrated Services Digital Network (ISDN). Recommendations of the Series I.* Genève : UIT, 1985.

UNION INTERNATIONALE DES TÉLÉCOMMUNICATIONS. *Comité consultatif international télégraphique et téléphonique. Livre rouge. Tome VIII Fascicule VIII.5. Réseaux de communications de données. Interconnexion de systèmes ouverts (OSI). Techniques de description du système. Recommandations X.200 à X.250.* Genève : UIT, 1985.

UNION INTERNATIONALE DES TÉLÉCOMMUNICATIONS. *Comité consultatif international télégraphique et téléphonique. Livre rouge. Tome X Fascicule X.1. Termes et définitions.* Genève : UIT, 1985.

UNION INTERNATIONALE DES TÉLÉCOMMUNICATIONS. *Comité consultatif international télégraphique et téléphonique. Red Book. Volume VIII Fascicle VIII.5. Data Communications Networks. Open Systems Interconnections (OSI). System Description Techniques. Recommendations X.200-X.250.* Genève : UIT, 1985.

UNION INTERNATIONALE DES TÉLÉCOMMUNICATIONS. *Comité consultatif international télégraphique et téléphonique. Red Book. Volume X Fascicle X.1. Terms and definitions.* Genève : UIT, 1985.

Périodiques

Datamation

IBM Bulletin

IBM Informations

IBM Magazine

IBM Technical Newsletter

IBM Systems Journal

Informatique et gestion

La Revue de l'Utilisateur de l'IBM PC

Le Monde Informatique

L'Ordinateur individuel

L'Usine nouvelle

Meta

Micro-ordinateurs

OP Magazine

Ordi Magazine

Think

01 Informatique Magazine et Hebdomadaire

Table des illustrations

Table des matières